HE WHAK, ...ARAMA

HE WHAKAMĀRAMA

A NEW COURSE IN MĀORI

John Foster

Ki toku kaiwhakaako tino pai rawa
ki a Bryce Gillespie

na tau akonga, na te kaituhi,
na John Foster

REED

Published by Reed Books,
a division of Octopus Publishing Group (NZ) Ltd,
39 Rawene Road, Birkenhead, Auckland.
Associated companies, branches and representatives throughout
the world.

ISBN 0 7900 0114 4

Photographs by Gil Hanly
Printed in Hong Kong

'We called out
New Zealand! New Zealand!
They have heard this famous name.'

– A Māori soldier, writing to his mother about a battle in World War II

CONTENTS

⋆These lessons may be read at any time, so that you may become gradually familiar with their contents, but all other lessons should be studied in the order given – they have been carefully designed so that the examples do not contain anything not already explained in earlier lessons.

FOREWORD

Many of us who are of Māori descent were not brought up speaking Māori. Our parents genuinely felt that our best interests lay in concentrating totally on learning to speak English. We now know that was a mistake and many of us are desperately trying to relearn the language of our forefathers.

It may seem strange that an Englishman who came to this country in 1953 should have been able to write a textbook in Māori. Perhaps it was a good thing that John Foster had no background in the language: he had to struggle with some of the difficulties himself and was then better able to explain its construction to others.

It is a simple course. But it is one of the best of its kind I know. The author realises that the primary object is to speak and understand Māori. But in setting out some of the basic differences in the construction of English and Māori phrases he has made it very much easier to learn Māori. The book has been a great help to me. I hope it is widely read and I know it will be a great help to many others.

HON. DR PETER TAPSELL
MINISTER OF INTERNAL AFFAIRS

PREFACE

If you are using this book, I should like you to think that you are just being helped by a fellow student. That is how I regard myself. I am afraid that learning any language can seem hard, but there are many who have a natural right of direct and speedy access to Māori. My motive throughout writing this book has been to help these people and to share with them certain advantages that I have had.

I bought a copy of Williams's *First Lessons in Maori* in 1951, but this remarkable book proved too much for me and I made little progress until a friend at work, Patuaka Himiona, encouraged me to start again. Since then I have tried all sorts of books and courses and have never given up. I was most fortunate at one stage to be a pupil of the Very Rev. J. G. Laughton, who, together with his wife, Horiana, was missionary to the Urewera people. He was a great Māori scholar, a close friend of Rua and of Sir Apirana Ngata, and was the chairman of the Māori Bible Revisory Committee. Everything I learned from him is in this book.

Over the years Mutu Rikihana, Mrs Tangimoana, Ceylon Wikiriwhi, Mr T. Ngarimu Tamati, Matangi and Maku Whiti, and many other fine Māori people have been kindly disposed towards my less-than-brilliant efforts. In particular, those who were in the Māori Battalion will always have my greatest respect, and I hope this book will be some help to their mokopuna.

I should also like to thank Miss Cornelia Hughes and Dr Ruth Gadgil for encouragement and for checking the clarity of the text; Vincent Foster for assembling the vocabulary; Hōne Atawhai for facing the long-drawn-out and daunting task of bilingual typing; and Peter Ranby for his advice on numerous linguistic points.

Great credit must be given to the fair-minded efforts of Mr John Kamariera, Department of Māori Studies, Massey University, who fully edited the text in its original form and also indicated where macrons should be placed. Providing this most necessary aid to pronunciation was beyond my own abilities. In all this the assistance given by Mrs Kamariera is acknowledged with appreciation.

A fluent speaker of Māori will doubtless detect occasional unnaturalness in some of the examples. This was of course noted by Mr Kamariera, but as such sentences were specially composed for their instructional value they have been allowed to remain in their present form. My hope, however, is that his forebearance toward my presentation of these points will prove to be an advantage to students of Māori, for many of whom it is now of necessity a second language.

The contributions of all these people could well have come to nothing, and this book would not be in your hands, without the real concern for the Māori language shown by Hon. Dr Peter Tapsell, Minister of Internal Affairs. If we all made similar efforts in learning Māori, and encouraging others to learn, the future of the language would be well assured.

For eight years I have given evening classes for people just like yourself, Māori and Pākehā, at Rotorua Lakes High School. This has enabled me to try out, and adjust, the explanations in these lessons to the point where you can be assured that by regular study, at home or in the lunch-hour, you will make the quickest possible progress in gaining for yourself all the knowledge necessary for speaking Māori.

It will then depend upon you to persuade Māori-speaking friends or relatives to provide you with the practice that is essential to become capable of expressing yourself in this outstanding and beautiful language of New Zealand.

Kia manawanui.
Nā tōu hoa,
John Foster

INTRODUCTION

Anyone can learn Māori, and I hope that this book will help you to do so. Māori is a fine language that should not be allowed to die out just through lack of interest and the will to retain it. Māori has been spoken for as long as people have lived in Aotearoa, and there is no need for it to become lost now. Many people are still able to speak Māori and, if they can be persuaded to help their friends to learn the language by giving them practice in speaking it, a big improvement would come about. On the other hand, students must be conscientious and determined.

My endeavour in this book has been to try to clear away as much vagueness as I can and allow the student to make rapid progess in gaining the necessary knowledge of the fundamental structure of Māori. To pretend that there is some effortless way to learn a language is to deceive you. That is not my intention. Māori is not complex, but the main difficulty is its differences. In these lessons I have explained these and tried to help you to accept them. When I started to learn Māori, the examples given in textbooks often contained points that were out of sequence, or had not been previously explained. Sometimes vital points were not mentioned at all. The resulting confusion took a long time to sort out. In this book great care has been taken to select examples that contain only the point under discussion and points already dealt with in previous lessons.

Grammatical explanations have been used throughout. The thought of 'grammar' is a great deterrent to some people. Much effort and time is spent (and I believe probably wasted) by teachers and pupils who seek 'easier' ways of learning a language. Grammar is only the patterns that words must form if they are to have the meaning we intend. Those who have tried it have found that careful use of *just a few* grammatical terms makes the explanation of Māori much more effective.

It must be realised that, although it is not necessary to know all the *words* of a language, it is very important to know most of the *word patterns* or grammar. This knowledge is more important in Māori than in most other languages, because, while Māori uses a smaller range of words, these take on different meanings when they occupy different positions in a sentence. There are many 'words' that require an understanding of their context before they can be translated correctly. Notice how frequently the word 'i' appears in Māori, and yet it may translate as 'at', 'by', 'than', 'from', and so on, according to its setting in the sentence. This is because it is indicating grammatical relationship rather than actual dictionary

13

meaning. Another example would be 'pai' – which can mean 'good', 'well' or 'to like' – and again it is the structure of the sentence that will make the meaning clear. Always be prepared to find a meaning for a Māori word that is different from the ones you have already learned.

Fortunately Māori has very regular construction and there are very few exceptions to the rules. Every language has its own 'idiom' or way of expressing a certain idea. In comparing two languages, similarities and differences will be found. You must open your mind to what you will find.

Oral experience is suggested as soon as it is practicable. A certain *minimum knowledge* of the most common constructions is absolutely necessary for *any form* of communication. Be sure you know the basic sentence patterns before asking a Māori-speaking friend to help you. Remember that someone whose 'mother-tongue' is Māori is not necessarily able to explain things to you. They hear and speak the language as an automatic reflex and have not necessarily given thought to how to teach it to someone else.

It is most important that you should want to press on with your study. The material in this book has not been drawn out more than is necessary to give adequate coverage of all points, and at the same time difficulties have not been glossed over or side-stepped. In a book like this that attempts to 'not leave anything out' it is not always easy to avoid giving a lot of points in certain lessons. I am aware of this and have indicated those points that are essential to learn at a particular stage, and those that are included for reference in the most logical place. The exercises will stress the more important aspects.

It is vital that you understand the first eight lessons thoroughly, as all other understanding hinges on them. Once you have started, try to learn a little each day. Keep going in spite of other interests and distractions. The learning is *not* endless and after a while your progress will become self-sustaining. Anyone can learn Māori; *anyone who does not give up.*

A NOTE ON
MĀORI PRONUNCIATION

It is not really possible to learn pronunciation from a book. As you progress through the following lessons, ask a Māori-speaking friend to read out the examples and the sentences in the exercises at normal speed. Say the words yourself, and ask your friend to listen and correct you if necessary.

A syllable in Māori is either a single vowel, or a consonant followed by one vowel: Ngā/ru/a/wā/hi/a; Wha/ka/tā/ne; Wa/i/ka/to; Whe/nu/a/ku/ra; Wha/nga/mō/mo/na; Ti/ti/ra/u/pe/nga.

These points may be of help:

1   When we say 'nā', the tip of the tongue touches the roof of the mouth somewhere behind the top of the upper teeth. When we say 'ngā', the tongue stays down with the tip touching the back of the lower teeth.

2   'Wh' differs from 'f ' in this way. When we say 'f ', the upper teeth firmly touch the bottom lip, but with 'wh' there is little or no pressure of the upper teeth on the bottom lip.

3   'O' is not pronounced as 'oh', but more like 'awe'. Try not to confuse the Māori and English sounds for 'e' and 'i'. An approximation to the Māori 'e' is 'ey' in 'hey', and 'i' is like the English 'e' in 'me'.

4   Each vowel in Māori has just one sound, but it can vary in 'length'. A 'long' vowel is shown by a dash, called a macron, printed over it. The macrons in this book have been placed by fluent speakers, and despite slight personal or tribal preferences they should provide a good general guide.

5   A syllable in Māori can be a single vowel (and no Māori syllable will have two vowels), so where several vowels come together in a word each must be separately pronounced. A different combined sound as might occur in English would not be correct in Māori.

6   Certain combinations of words are allowed to flow into each other in actual speech. This just gives a more pleasing effect to the Māori listener. This may also be indicated by macrons, and where possible these points will be noted as they occur in the lessons.

Nouns, Articles, Adjectives

To make a start, we shall take just three types of word – 'the' and 'a' ('articles'), the names of things ('nouns'), and words that describe ('adjectives') – and then show the range of meanings that can be expressed with them.

The indefinite article
he = a (singular/just one thing)
he = some (plural/several things)

The definite article
te = the (singular)
ngā = the (plural)

Nouns

whare = house	tangata = man	wahine = woman
kōtiro = girl	kurī = dog	rākau = tree
waka = canoe	wai = water	maunga = mountain
toki = axe	ngahere = forest	pū = gun
manu = bird	ika = fish	hoa = friend

Transliterations (English words adopted into the Māori language)

tēpu = table	hōiho = horse	āporo = apple
hipi = sheep	motukā = motorcar	tūru = chair
pukapuka = book	moni = money	pene = pen

Adjectives

pai = good	nui = big	kino = bad
ataahua = beautiful	tere = fast	ora = well/alive
kaha = strong	roa = long	reka = sweet
mā = white/clean	whero = red	mōhio = wise/clever

1.1

he whare = a house/some houses

When we come to use full sentences, we shall note that 'houses' and '(it is) a house' are also meanings that can be conveyed by 'he whare', but in practice it will be found that the context will supply the correct translation.

1.2

te kōtiro = the girl　　　　　　　　ngā kōtiro = the girls

If a Māori noun is plural (more than one thing being mentioned), the article changes from 'te' to 'ngā', but the noun itself stays the same, (whereas in English the noun has an 's' added to it).

One common word is an exception: ' te tamaiti' (= 'the child') becomes 'ngā tamariki ' (= 'the children').

A small number of nouns are spelt the same in the plural but are pronounced with a long vowel in the first syllable: 'te tangata' (= 'the man') becomes 'ngā tāngata' (= 'the men'), 'te matua' (= 'the parent') becomes 'ngā mātua' (= 'the parents'), and 'te wahine' (= 'the woman') becomes 'ngā wāhine' (= 'the women').

1.3

he tangata nui = a big man
he āporo reka = a sweet apple (some sweet apples)
te hōiho kaha = the strong horse
ngā waka tere = the swift canoes

In Māori the adjective is placed immediately *after* the word it describes. This is a most vital point to remember, because further on it will be shown that more complex constructions than a single adjective can also be adjectival, that is descriptive, if they come immediately after the noun. The *position* of a word in a Māori sentence is most important.

1.4

he manu nunui = some large birds
ngā tamariki papai = the good children

A few common adjectives double the first syllable to form a plural. These are not frequently seen and are easily recognised when they do occur. The simple form may be used in all cases.

1.5

he hōiho pai, he hōiho tere = a fine, swift horse
he hōiho pai, he mea tere = a fine, swift horse

To describe something with two adjectives, the article and noun are repeated with the second adjective, or the word 'mea' (= 'thing') is substituted for the noun in the repetition.

Note that in translating Māori words in general, and adjectives in particular, a wider range of English words is available to select from. For example, 'nui' could be 'big', 'large', 'great', 'important', 'plentiful'; 'pai' could be 'good', 'fine', 'nice'; and so on. Here again context will indicate the most suitable English equivalent.

1.6

he whare *tino* nui = a *very* big house
ngā āporo *tino* reka = the *very* sweet apples

'*Tino*' (= 'very') is used to intensify an adjective. It is placed directly *in front* of the adjective (see 16.3).

1.7

te roa = the length   te kaha = the strength
te whero = the redness   te makariri = the cold(ness)

Placing the definite article ('te') directly before an adjective turns it into a noun. These four are abstract qualities.

1.8

tēnei kurī = this dog (by me)
te kurī nei = this dog (the dog here)
tēnā hōiho = that horse (by you)
te hōiho nā = that horse (the horse there)
tērā manu = that bird (over there)
te manu rā = that bird (the bird yonder)

'This' and 'that' are formed by adding one of the three particles indicating location – 'nei', 'nā', and 'rā' – to the definite article 'te'. 'Nei' indicates near the speaker; 'nā' indicates near the person spoken to; 'rā' indicates away from both, at a distance.

There are two forms, as shown above, but they have only a slight shade of difference in meaning – to the same degree as 'this dog' ('tēnei kurī') and 'the dog here' ('te kurī nei'). The first form is the most common.

1.9

ēnei kurī = these dogs
ngā kurī nei = these dogs (the dogs here)
ēnā hōiho = those horses
ngā hōiho nā = those horses (the horses there)
ērā manu = those birds
ngā manu rā = those birds (the birds yonder)

'These' and 'those' are formed by dropping the 't' in the first form and using the plural article 'ngā' in the second form. If an adjective is used with either of these two forms, it occupies its proper place, coming immediately after the noun.

1.10

tēnei waka roa = this long canoe te waka roa nei = this long canoe
ērā mea pai = those good things ngā mea pai rā = those good things

Later on it will be seen that these three location indicators (nei, nā, rā) have wider applications, and their meanings should be kept in mind.

1.11

taua wāhi = that place aua wāhine = those women

This is a special form of 'that' and 'those', used when mentioning something that has already been referred to, or will be well understood by the person spoken to. Although 'taua' is translated just as 'that' (or sometimes 'the'), the meaning is really 'the aforesaid'.

1.12

Here are two more useful describing words:
ngā tāngata *katoa* = *all* the men
ngā wāhine *anake* = *only* the women (*just* the women)

Oral and listening practice

If you have a tape recorder, it would be a good idea to make a self-training tape for oral and listening practice.

Use the examples in the lessons and also the sentences in the exercises. Make one side English to Māori and the other side Māori to English, like this:

Side 1, Lesson 1.
'a house, (pause), he whare the girl, (pause), te kōtiro
some houses, (pause), he whare the girls, (pause), ngā kōtiro' etc.

Note the number on the counter and rewind the tape back to the start. Turn the tape over and record:

Side 2, Lesson 1.
'he whare, (pause), a house te kōtiro, (pause), the girl
he whare, (pause), some houses ngā kōtiro, (pause), the girls' etc.

If you listen frequently to this tape, trying to give the Māori or English equivalent during the 'pause', you will speed up your abiiity to form

Māori sentences. It will also help you to understand the meaning of what is said to you.

At first listen to the sections in sequence, but later on you can run the tape back and forth and listen to a random selection of sentences.

Of course, it would be very helpful if you could persuade a Māori speaker to record the tape for you, a lesson or so at a time, as you progress through the book.

It is necessary to develop an ability to understand the language just by listening, rather than by always looking at the printed page, but it is no use practising sentence patterns through repetition unless you already understand them thoroughly.

Exercise 1

Before doing the exercise, make up an example of your own for each one given in the lesson, substituting with words from the word list.

1. these books
2. those women (we have been talking about)
3. a big, sweet apple
4. the size
5. the friend
6. all these children
7. those mountains
8. those big fish (by you)
9. the evil (badness)

21

10. that sheep (that was mentioned before, that you know about)
11. the birds
12. that chair
13. some water
14. an axe
15. that fast car
16. a beautiful woman

If you do not know a particular word in any of the exercises, do not turn to the answers but look it up in the glossary provided for this purpose at the back of the book. Check the answers only when you have finished the exercise.

LESSON 2

Verbless Sentences

To make a simple statement in English, we use the verb 'to be'. 'I *am* (a man)', 'you *are*', 'they *were*', and 'it *is*' are all parts of the verb 'to be'.

In Māori we must convey these ideas in other ways, because there is *no* verb 'to be' in Māori.

Firstly, words we have already learned – nouns, adjectives, 'this', 'these', 'that' and 'those' – can be arranged to make the simplest form of Māori sentence, without using any verb at all.

2.1

He whare tēnei. = This *is* a house.   He manu ērā. = Those *are* birds.

The literal meanings of these sentences are 'a house this' and 'birds those'. This is Māori idiom.

2.2

To make a statement describing something, we substitute an adjective for the noun.

He nui tēnei. = This is big.
He nui tēnei whare. = This house is big.
He whero ērā. = Those are red.
He whero ērā manu. = Those birds are red.

Here again the literal sense would be 'a big this', 'a red those', etc.

2.3

Notice here that slight changes in the order of the words can change the meaning of the sentence.

He iti tēnei pukapuka. = This book is small.
He pukapuka iti tēnei. = This is a small book.
He pukapuka iti tēnei pukapuka. = This book is a small book.

Although there may seem little difference between these sentences, it is important to know the way in which a desired shade of meaning has to be expressed. If it can be expressed in English, it can be expressed in Māori.

2.4

Extra examples (all these sentences make statements about a thing's identity or about some quality it possesses):

He makariri te wai. = The water is cold.
He roroa ngā rākau rā. = Those trees are tall (long).
He kino ēnā kurī. = Those dogs are bad.
He ataahua te kōtiro nui rā. = That big girl is beautiful.
He whero ēnei pukapuka iti. = These little books are red.
He tangata pai te tangata nei. = This man is a good man.
He manu ērā mea mā. = Those white things are birds.
He pounamu tēnei mere. = This mere is greenstone.
He kōwhai tērā rākau. = That tree is a kowhai.
He kōwhai tērā rākau. = That tree is yellow.

2.5

If we ascribe a particular quality to a type or *class of things*, the singular article 'te' is used.

He reka *te* āporo. = Apples are sweet.
He tere *te* motukā. = Cars are fast.
He kaha *te* hōiho. = Horses are strong.

These could mean 'The apple is sweet', 'The car is fast' and 'The horse is strong', but the context would show which was the correct version.

Māori idiom requires 'nga' when a commodity is split up into smaller quantities: 'nga kai' (= 'the food (plates of)'); 'nga wuru' (= 'the wool (bales of)'); 'nga toto' (= 'the blood (drops of)').

In 2.4 'He makariri te wai' could also mean 'Water is cold'.

The specific particle 'ko' and the nominal particle 'a'

When we say 'This is *the* house' or 'Those are *the* men', we are being more precise, or specific, than when we say 'This is a house' or 'Those are men'. To make sentences like these, we need to use the specific particle 'ko'.

2.6

Unlike 'he' in the examples we have just given, 'te' is not used to start a sentence; it must be preceded by 'ko'.

Ko te whare tēnei. = This is the house.
Ko ngā tāngata ērā. = Those are the men.

2.7

'Ko' is somewhat more emphatic than just an equivalent of the verb 'to be'; it puts stress on the word that follows it.

Ko tēnei te whare. = *This* is the house.
Ko te whare tēnei. = This is *the house*.

In Māori the most emphatic or important part of a statement comes at the beginning; in this case it is the word directly following 'ko'.

2.8

Simple statements about a person can also be formed without using a verb. First, we can use 'he'.

He rangatira *a* Rewi. = Rewi is a chief.
He tino tere a Hone. = Hone is very quick.

This example introduces a new rule. Where the name of a person is used as the subject of a sentence, it is preceded by the nominal particle 'a'. This is not represented by any word in the equivalent English sentence, and so we must remember to put it in when translating from English into Māori. (See 3.8 and 4.7.)

2.9

When the sentence about a person is to mean 'is the' rather than 'is a', we can either stress 'Rewi' or 'the chief', for example, according to which is placed directly after 'ko'.

Ko *Rewi* te rangatira. = *Rewi* is the chief.
Ko *te rangatira* a Rewi. = *The chief* is Rewi (Rewi is *the chief*).
Ko *te tangata mōhio* a Hēmi. = *The wise man* is Hemi.
Ko *Hēmi* te tangata mōhio. = *Hēmi* is the wise man.

Note that when a person's name is in the stressed position following 'ko' it is *not* preceded by the nominal particle.
  These examples are translated as present time (Rewi *is* . . .), but if the context required it – for example, when telling a story – they could equally well be translated as past time (Rewi *was* . . .).

Interrogative sentences (questions)

Two forms of 'questions' are associated with the sentences we have dealt with in this lesson.

2.10

First we have 'what?'

He aha tēnā? = What is that?
He aha ērā mea? = What are those things?

The literal meanings are 'A what that, by you?' and 'Some what those things, over there?'

In Māori, in nearly every case, *answers* follow the *same form* as the *question*. In these examples the answers could be something like this: 'He toki tēnei' (= 'This is an axe'); 'He ika ērā mea' (= 'Those things are fish').

2.11

Secondly we have 'who?'

Ko wai tērā kōtiro? = Who is that girl?

The form of the answer would be 'Ko Hera tērā kōtiro' (= 'That girl is Hera') or just 'Ko Hera' (= '(It is) Hera').

2.12

'Mā' is used after 'ko wai' or after a person's name to mean 'and others' or 'and companions'.

Ko wai mā ērā kōtiro? = Who are those girls?
Ko Hera mā. = Hera and some others.

Exercise 2a

1. Lemons are bitter.
2. This book is good.
3. These are books.
4. This house is white.
5. Hera is the clever girl.
6. Those big dogs are bad.
7. Who are those men (people)?
8. That is the tree.
9. That is a table.
10. This fish is a long fish.
11. Those are dogs.
12. These are the books.
13. Who is this child?ʻ
14. Te Tohi is (was) the tohunga.
15. That beautiful bird is a pigeon.
16. That man is a lawyer.
17. Horses are big.
18. These are big dogs.
19. Hēnare is a soldier.
20. The famous chief was Te Heuheu.
21. This garment is wool.

Exercise 2b

'B' exercises revise the contents of earlier lessons.

1. some birds
2. a good axe
3. a very good book
4. just the children
5. those canoes (mentioned before)
6. some nice (good) apples
7. the big, beautiful tree
8. the whiteness
9. that table (by you)
10. these red books

LESSON 3

Verbs (I),
Nominal Particle (I),
Pronouns

Verbs

Verbs play a vital part in any language, by putting a name to actions or activities. Nearly every sentence will contain a verb in some form. This is why we must get a clear overall idea of their function at this early stage. It could be said that the Māori verb is the least complicated of any language. Everything is very regular, and this makes learning and remembering the various points much easier.

3.1

The first point to note is that the order of a Māori sentence is the reverse of the order of an English sentence. There are two basic parts to a sentence: the 'subject', which has something said about it, and the 'predicate', which tells us something about the subject. In the following example, 'the woman' is the subject.

English order
The woman is singing.

Māori order
E waiata ana *te wahine.*

The next consideration is the 'tense' or time at which an action takes place. Broadly speaking, this can be past, present or future, although Māori is really more concerned with the state of the action: completed, still going on, or about to happen. English and Māori use different methods to indicate the time or state of a particular action.

In English, a verb expressing a particular action is often linked with one of the auxiliary verbs 'to be' or 'to have', which help to give the tense differences just mentioned; for example, 'I *am running*', 'He *has run*', 'You *will run*'. There is no verb 'to be' in Māori, however, and the equivalent of 'to have' is not used in this way as an auxillary verb.

With each change of tense, the verb itself does not alter its form (run, ran, running) as in English. It retains the same form, and the tense or state of the action is indicated by a 'verb sign', as shown here.

3.2

Kua oma te tangata. = The man has run.

Completed action: past.

3.3

I oma te tangata. = The man ran.

Simple past.

3.4

E oma *ana* te tangata. = The man is/was running.

Continuous action: past, present or future.

3.5

Ka oma te tangata. = The man will run/runs/ran.

Basically future, but present or past according to context. This is the most frequently used verb sign, indicating *a change of action*.

3.6

Me oma te tangata. = The man had better run.

A mild imperative, but in practice used the same as a verb sign (see 17.12).

These five verb signs are the ones most used, though you can say '*E* oma te tangata' (= 'The man will run') and 'Oma *ana* te tangata' (= 'The man ran').

Note that 'E... ana' can be translated as past, present or future tense (is, was, will be), according to the *context* of the story.

'Ka' can also be translated as past, present or future tense, because its real function is to indicate what happens next. For this reason, most examples used in these lessons will be given as future. Elsewhere, the context should indicate the appropriate English equivalent.

Active and passive forms

Our next consideration is the concept of 'active' and 'passive'. This is very important, as the use of the passive form is much more common in Māori than in English. The active and passive forms of the verb should be learned at the same time. In dictionaries the passive ending is shown like this: 'kimi-hia = to seek'. In a text, however, it will appear as 'kimi = seek' or 'kimihia = sought'. Here are some other examples.

kite = see (active)
kitea = seen (passive)

tuhituhi = write (active)
tuhituhia/tuhia = written (passive)

patu = hit (active)
patua = hit (passive)

pupuhi = shoot (active)
pūhia = shot (passive)

noho = sit (active)
nohoia = sat upon (passive)

aroha = love (active)
arohaina = loved (passive)

3.7

If the subject of the sentence is carrying out the action, the active form is used. If the subject of the sentence is being acted upon, the passive form is used. Active and passive relate to the viewpoint from which a particular action is regarded. If we consider, for example, a picture showing a girl holding a dog, we have only two things and one action.

The girl is *holding*. = E *pupuri* ana te kōtiro.
The dog is *being held*. = E *puritia* ana te kuri.

Other examples:

I tuhituhi te tamaiti. = The child wrote.
I tuhituhia (tuhia) ngā reta. = The letters were written.

E karanga ana te kuia. = The old lady is calling.
E karangatia ana ngā manuhiri. = The guests are being called.

Kua noho te wahine. = The woman has sat down.
Kua nohoia te pōtae. = The hat has been sat upon.

Ka kai te kurī. = The dog will eat.
Ka kainga ngā miti. = The meat will be eaten.

Note from these examples that 'passive' and 'past time' are quite different. Passive form is indicated by the passive ending, and 'time' or 'tense' by the various verb signs.

3.8 Nominal particle

In many cases we shall want to use a person's name rather than a description ('the child', 'the old lady', etc.) When a person's name is used as the subject of a sentence, it is immediately preceded by the nominal particle 'a' (as we also saw in 2.8).

E kōrero ana *a* Mere. = Mere is talking.

I moe *a* Hine. = Hine slept.
Ka haere *a* Rata. = Rata will set off.

Note that the nominal particle does not translate to any word in English, and we must remember to put it in. The word 'a' will appear later with other meanings.

Pronouns

Next, if we do not wish to keep using the person's name, we can use the appropriate pronoun: ia (= he/she), koe (= you), tātou (= we), rātou (= they), etc. This gives much more flexibility to what we are able to say.

3.9

When a pronoun is used as the subject of a sentence, the nominal particle is *not* used.

E moe ana *ia*. = *She* is sleeping.
Kua waiata *rātou*. = *They* have sung.
Ka haere *ahau*. = *I* shall go (set off).

3.10

Note in the next example that 'te kuia', 'Hine' and 'ia' all occupy the same position in the sentence.

E karanga ana *te kuia*. = *The old lady* is calling.

E karanga ana *a Hine*. = *Hine* is calling.
E karanga ana *ia*. = *She* is calling.

3.11

People's names or pronouns are used in just the same way, whether the sentence is active or passive.

E horoi ana a Hera. = Hera is washing.
E horoia ana a Hera. = Hera is being washed.
I patu ia. = He hit.
I patua ia. = He was hit.

3.12

The full list of personal pronouns is set out here. It would be hard for a beginner to learn them all straight off, but they are best kept together for ease of reference. Try to learn a few at this stage, so that you can gain the practice of using them to form sentences.

One person:
 ahau *or* au = I, me
       koe = you
         ia = he, him/she, her

Two people:
       tāua = we, us (The person spoken to is one of the two people.)
      māua = we, us (The person spoken to is not one of the two people.)
    kōrua = you
      rāua = they, them

More than two people:
      tātou = we, us (The person spoken to is one of the people.)
     mātou = we, us (The person spoken to is not one of the people.)
   koutou = you
     rātou = they, them

Note the 'dual' pronouns used when *two people* are concerned; also the 'inclusive' forms 'tāua' and 'tātou' and the 'exclusive' forms 'māua' and 'mātou'.
    Some speakers may use 'tātau', 'mātau' and 'rātau'.

3.13

The pronouns 'rāua' and 'rātou' are commonly used with 'ko' to mean 'and' when speaking of two or more people by name.

Hohepa *rāua ko* Meri = Hohepa *and* Meri

Rāwiri *rātou ko* Hoani *ko* Haora *ko* Tame
   = Rāwiri, Hoani, Haora *and* Tame
māua ko Monika = Monika *and I*

Another way of referring to several people (2.12)

Hine *mā* = Hine *and others*
kōtiro mā! = Girls!

3.14

The 'interrogative' form is:

E aha ana a Mere? = *What is* Mere *doing?*
E kai ana a Mere. = Mere *is eating.*
I aha ratou? = *What did* they *do?*
I noho ratou. = They *sat down.*

Exercise 3a

1. Hone has written.
2. These children have eaten.
3. The old lady called.
4. Monika is eating.
5. I shall sleep.
6. Those girls will sing.
7. Hōne and (the) others are eating.
8. The men were seen.
9. The men had better go.
10. The big bird has been shot.
11. Hinemoa was loved.
12. You had better stay.
13. Hine called.
14. Hine and Mere have sat down.
15. They are talking.
16. The horses are running.

Exercise 3b

1. That is the church.
2. Horses are strong.
3. That apple is very big.
4. Who is that woman? It is Mere.
5. Hēnare is a good man.
6. The house is white.
7. that big mountain
8. That is a beautiful girl.
9. Those children (mentioned before) are very good.
10. These are all the cups.

LESSON 4

Verbs (II),
Sign of the Agent,
Nominal Particle (II)

Transitive verbs

The next step is to see how the sentences in Lesson 3 can be naturally extended so that we are able to say 'The lady is writing *the letter*' and 'Hera is washing *the plates*', or 'The letters were written *by the lady*' and 'The plates are being washed *by Hera*'.

Ordinary verbs like 'patu' (= 'to hit'), 'horoi' (= 'to wash') or 'kai' (= 'to eat') are referred to as 'transitive' verbs, because the action expressed by them transfers *from* the person or thing carrying out the action *to* the person or thing acted upon: 'He hit the dog.' 'They are washing the plates.'

4.1 The transitive preposition 'i'

To form sentences like these in Māori, we use the *active* form of the verb and the transitive preposition 'i'.

I patu te kōtiro *i* te kurī. = The girl hit the dog.
E horoi ana a Hera *i* ngā pereti. = Hera is washing the plates.
Kua kite rātou *i* te Kuini. = They have seen the Queen.

The transitive preposition is there to indicate the motion of the particular action and *does not translate*. There is no corresponding 'word' in the English version, so we must always remember to *put it in* when translating English into Māori.

4.2 Sign of the agent

To expand sentences using the *passive* forms of these verbs, we need to use 'e' (= 'by'), the 'sign of the agent' (the 'agent' being the person or thing that carries out some action).

Kua patua te kurī *e* te kōtiro. = The dog has been hit *by* the girl.
E horoia ana ngā pereti e mātou. = The plates are *being washed* by us
 (We are *washing* the plates).
Kua kitea te Kuini *e* rātou. = The Queen has been seen *by* them.

4.3

Note that Māori has a preference for the use of the passive form, which is considered to put emphasis on the action. Because it is more commonly used in Māori than in English, many Māori sentences in passive form *can be expressed in active form when translated into English.*

E horoia ana ngā pereti e mātou. = The plates are *being washed* by us
 (We are *washing* the plates).
I *hokona* ēnā hū e au. = Those shoes *were bought* by me (I *bought* those
 shoes).

However, when translating, keep to the passive version until you are confident of the meaning.

The transitive preposition 'ki'

As already stated, there are very few irregularities with the Māori verb, or with Māori generally, but two small points must be mentioned now to avoid confusion when you are forming your own sentences.

4.4

First, nearly all transitive verbs use 'i' as the transitive preposition, but a small number use 'ki' in just the same way, as shown in the examples below.

I mōhio ahau *ki* ērā tamariki. = I knew those children.
Kua pātai ia *ki* te tangata mōhio. = She has questioned the wise man.
E aroha ana ia *ki* te wahine. = He loves the woman.

Some other common verbs that use 'ki' as the transitive preposition (untranslated) are: hiahia (= to desire/to wish for); pīrangi (= to desire/to wish for); tatari (= to await/to wait for); tūtaki (= to encounter/to meet); mahara (= to remember); whakaaro (= to think (of)/to consider); pai (= to like/to approve of).

4.5

Secondly, any verb following the verb sign 'me' is not given a passive ending, even though the sentence as a whole is phrased in the passive. This would be indicated by the presence of 'e' (= 'by').

Me patu tēnā kurī *e* koe (not 'patu*a*'). = That dog had better be beaten by you (You should/must/had better beat that dog).

4.6 'Tetahi', 'etahi'

An important rule to learn at this stage is that 'he', meaning 'a', or 'some', is not used after *any* preposition; including 'i', 'ki' and 'e'. After these words, 'tetahi' is used for 'a' or 'a certain', and 'etahi' is used for 'some'.

I kite rātou i *tetahi* kōtuku. = They saw *a* white heron.
Ae, e mōhio ana ahau ki *tetahi* waiata Māori. = Yes, I know a *certain* Māori waiata.
Kua patua tēnei kurī e *etahi* tamariki. = This dog has been hit by *some* children.

Note that, when used in this way, 'tetahi' is often abbreviated to 'te', but in most cases the context will tell you if 'the' or 'a' is the correct meaning.

4.7 More concerning the nominal particle 'a'

(a) When, as stated earlier, a *person's name* follows a verb as the subject of a sentence, it is preceded by the nominal particle 'a'.

36

(b) When a pronoun is the subject of a sentence, it is not preceded by the nominal particle.

(c) When either a person's name or a pronoun follows one of the prepositions 'i', 'ki', 'kei', or 'hei', it is preceded by the nominal particle.

I kite *a* Hēnare i *a* rātou. = Hēnare saw them (a) (c).
I kite rātou i *a* Hēnare. = They saw Hēnare (b) (c).

There is one slight exception to rule (c). The pronoun 'I/me' can be either 'ahau' or 'au'; 'a' is not used before 'ahau' but is used before 'au': '...i ahau'; '...i *a* au'.

'Kei', 'hei', and further uses of 'i' and 'ki' come in the next lesson, where more examples will be given.

There is no equivalent of the nominal particle in the English translation so, like the transitive preposition, we must remember to *put it in* when translating into Māori. After a little while this becomes automatic, and it will seem strange to you if you leave it out.

4.8 'Whaka'

The majority of verbs are dealt with in exactly the way shown in examples 4.1 and 4.2. A smaller range of verbs do not readily transfer the action from one person or thing to another, and these are called 'intransitive' verbs. Examples are 'haere' (= 'to go'), 'moe' (= 'to sleep'), 'noho' (= 'to sit'), 'kata' (= 'to laugh').

In English some verbs can be either intransitive or transitive, without any change.

I *woke* (intransitive).   I *woke* my brother (transitive).

In Māori an intransitive verb must be *made* transitive by using the 'causative prefix' 'whaka'. It can then be followed by the transitive preposition (see 4.1).

I oho ahau. = I woke.
I *whaka*oho ahau *i* tōku tuakana. = I woke my brother.

E moe ana te wahine. = The woman is sleeping.
E *whaka*moe ana te wahine *i* te pēpi. = The woman is putting the baby to sleep.

Kua hoki ia. = He has returned.
Kua *whaka*hoki ia *i* te pukapuka. = He has returned the book.

Note that a wide range of verbs start with 'whaka', but in most cases the application of the words 'to cause' helps us to get the meaning.

whakamōhio = to cause to know/to inform
whakatika = to cause to be straight/to tidy

whakatangi = to cause to sound (as in playing an instrument)
whakahaere = to cause to go/to operate/to organise
whakanui = to cause to be big/to enlarge/to make important
whakamārama = to make clear/to explain

You may need to read through Lessons 3 and 4 more than once, as they are probably the most important in the book. At this stage all these aspects may seen complicated, but if they are properly understood *now* the whole subject will be made easier. This book seeks to explain difficult points rather than avoid them, and the more you are *aware*, at an early stage, of the full range of the language, the more satisfactory your progress will be. After the basic structure has been learnt in the first six or eight lessons, all new points will tie in with, or be related to, constructions you are already familiar with.

If you are getting the exercises right, there is no need to worry about your progress, and if you are determined to learn Māori you will appreciate that the vital facts are being set out for you.

Exercise 4a

1. The letters have been written by the girl.
2. Kiri sang the words.
3. The song was sung by the child.
4. He will guide the woman.
5. I remember that man.
6. We shall buy some new towels.
7. We (mātou) fed some horses.
8. He built the new house.
9. They returned the canoe.
10. They knew me.
11. The birds have been killed by Hēnare.
12. I know them.
13. Hine is eating an apple.
14. He saw the pig.

Exercise 4b

1. we/us (two people; the person spoken to is not one of the two people)
2. Hōne is a good man.
3. you (several people)
4. those very big apples
5. a big, fast car
6. Hine is sleeping.
7. These dirty cups are being washed.
8. they/them (two people)
9. Mere and Monika are working.
10. That house is big.

LESSON 5

Prepositions (I): 'i', 'ki'

When we use the words 'to', 'at', 'from', 'in', 'on', and so on, we are using prepositions, which come before a noun, a pronoun, or a person's name, and relate it in some way to the rest of the sentence.

The important thing about Māori prepositions is that a small number of 'words' in the Māori text can be translated by a wider range of 'words' in English. Context, and the structure of the sentence, will tell us whether 'i' should translate as 'from' or 'with' and whether 'ki' should translate as 'to' or 'at', etc. If this is understood, the position becomes much clearer.

5.1

i = from (direction of movement)

I hoki rātou *i* Maketū. = They returned *from* Maketū.
E oma ana ngā tamariki *i* te wharekura. = The children are running *from* the school.

5.2

ki = to (direction of movement)

Kua haere rāua *ki* te kāinga. = They have gone *to* the village.
Me haere koe *ki* te toa. = You had better go *to* the shop.

5.3

ki = to/at/with (direction of speech, attention, or effort)

E kōrero ana ahau *ki* ā ia. = I am talking *to* him.
Kua waiata ngā kōtiro *ki* a mātou. = The girls have sung *to* us.
I titiro ia *ki* a tāua. = She looked *at* us.
Ka kata tātau *ki* a rātou. = We shall laugh *at* them.
E whāwhai ana rātou *ki* te hoariri. = They are fighting *with* (against) the enemy.

39

Ka pukuriri te māhita *ki* ngā tamariki kino. = The master will be angry *with* the naughty children.

5.4

Remember that in sentences like these 'he' is not used after a preposition. 'Tetahi' is used, but it is often abbreviated to 'te'. 'Etahi' is used for 'some'.

Ka pupuhi ahau ki *te* manu. = I shall shoot at *a/the* bird.
E titiro ana rāua ki *etahi* nūpepa tawhito. = They are looking at *some* old newspapers.

5.5

Notice the difference in the meaning of these examples:

E karanga ana ia *i* a rātou. = He is calling (summoning) them.
E karanga ana ia *ki* a rātou. = He is calling *to* them.

Kua pupuhi a Hēnare *i* nga poaka. = Hēnare has shot the pigs.
Kua pupuhi a Hēnare *ki* ngā poaka. = Hēnare has shot *at* the pigs.

In the first part of each example we have used the transitive preposition, for which no translation is required, and in the second half we have used the preposition 'ki' and translated it as 'to' and 'at'.

5.6

i = at/on/in (reference to the *time* of some event, usually past)

Ka oho a Hine *i* tēnei ata ataahua. = Hine awoke *on* this beautiful morning.
I haere rātou *i* tērā wiki. = They went (*on/at*) last week (tērā = last)
Ka tū te hui *i* te ata nei. = The meeting was held (at) this morning.

5.7

i = at/in/on (reference to the place where something *is*)

I kōrero ahau ki te tangata *i* te kūwaha. = I talked to the man *in/at* the doorway.
Ka kite ia i a Hēmi *i* te kaipuke. = He saw James *on/in/at* the sailing vessel.
te Ariki *i* te rangi = the Lord *in* heaven (It must be '*te* rangi'. Every noun in Māori *must* be preceded by an article, possessive adjective or similar word.)
He nui te whare rūnanga *i* Ōhinemutu. = The meeting house *at* Ōhinemutu is large.

Note that these prepositions have all been used descriptively and could translate as 'which is at', 'that is in', 'who was on', etc. In English 'which', 'that' and 'who' are called relative pronouns, *which do not exist*, as individual words, in Māori. (The interrogative 'ko wai?' – meaning 'who?' – is not grammatically the same as the 'who' just mentioned.)

In English we use 'in' and 'on' where, in many cases, the Māori would use 'i' (= 'at'): 'in the forest' (= 'i te ngahere'); 'in the garden' (= 'i te māra'); 'in this country' (= 'i tēnei whenua'); 'on the hill' (= 'i te puke'). The Māori 'in' ('i roto i') is reserved more for meaning 'inside', and 'on' ('i runga i') for meaning 'upon'. These are dealt with in Lesson 14.

You should always remember that people who think in the English idiom unconsciously tend to phrase a Māori sentence in the same form it would take in English. In some cases this is right, but in many cases it is wrong. No two languages 'fit' exactly, and when translating from one into another we must be ready to accept differences.

5.8

ki = at (reference to the *place* where something *happens*/where some
   action takes place)

Ka moe tātou *ki* Taupō. = We shall sleep *at* Taupō.
E tipu ana te kūmara *ki* Ōtaki. = Kūmara are growing *at* Ōtaki.
Ka tū te hui *ki* Mangaweka. = A meeting will be held *at* Mangaweka.
I hangaia te Tiriti ki Waitangi. = The Treaty was made at Waitangi.

(Some speakers may use 'i' in this situation.)

5.9

ki te (verb) = *to* (to do something/to commit some act)

I tīmata rātou *ki* te waiata. = They started *to* sing.
E hiahia ana ahau *ki* te haere. = I wish *to* go.
Ka haere tātou *ki* te hoko i etahi mea. = We shall go *to* buy some things.
E noho ana ahau *ki* te tuhituhi (i tēnei pukapuka). = I am sitting down *to* write (this book).

Note that we must say 'ki *te* waiata', not 'ki waiata', and 'ki *te* tuhituhi', not 'ki tuhituhi'. This is because 'waiata' and 'tuhituhi' are not being used as the main functional verbs of their sentences (they are not accompanied by verb signs). Where a Māori verb is preceded by 'te', the essential action of that particular verb is being indicated:

te kai = eating
te waiata = singing
te kōrero = talking

(This aspect of the verb occurs again later, in Lessons 20 and 22.)
The next example has a similar construction.

5.10

ki te (verb) = *at* (ability or performance *at* doing something)

He pai a Hēmi *ki* te oma. = Hēmi is good *at running*.
He kaha ia *ki te mahi*. = He is energetic *at working*.

This example illustrates once more the point made earlier in this lesson concerning differences of idiom. We do not say in English 'A good Hēmi at the run', or 'A strong he at the work', which are the literal meanings, so we must transpose what is meant into 'proper' English, and we must expect in return to transpose what is meant in English into 'proper' Māori.

5.11

Prepositions are repeated in some cases where 'and' would be used in English, or where the description of a person is stated, first generally and then particularly.

I haere mai rātou *i* Rotorua, *i* Tauranga, *i* Whakatāne.
    = They came *from* Rotorua, Tauranga *and* Whakatāne.
E kōrero ana ia *ki* ngā taitamariki, *ki* ngā kōtiro. = He is talking *to* the youths *and* the girls.
I karanga ahau *ki* te kaiārahi *ki* a Rōpata. = I called out *to* the guide, Rōpata.

E waiata ana rātou *ki* ērā tāngata, *ki* ngā manuhiri. = They are singing *to* those people, (to) the guests.

Although these are not all the meanings that can be expressed with 'i' and 'ki', they are the ones most frequently met with, and are enough to show how important it is to know the way in which the context moulds their meaning.

If they are carefully learned, a lot of muddle and misunderstanding can be avoided and it will now be possible to say quite a lot in correct Māori.

Exercise 5a

1. They have started to eat (the pigeons).
2. Hēnare is fighting with Hēmi.
3. He saw a big aeroplane.
4. The girls are looking at the birds.
5. He called to Jack. He called the dogs.
6. The men have gone from this settlement.
7. The river at Whanganui is wide.
8. The children are good at feeding the hens.
9. We had better look at some good books.
10. He will stay at Tauranga.
11. The children went to the river.
12. I will sit (down) to write to Hine.
13. She talked to the horse.
14. They will sing to the guests.

Exercise 5b

1. They have returned all the things.
2. This is the dining hall.
3. Those flowers are yellow.
4. a big, black dog
5. these very good children
6. You (two) had better run.
7. Hine is sleeping.
8. The hens have been fed by the old lady.
9. They (two) saw a kiwi.
10. The clothes will be washed by Mere and the others.

LESSON 6

Compound Adjectives, Compound Verbs, Relative Clauses (I)

Compound adjectives

Before breaking entirely new ground with the use of the prepositions 'kei' and 'i', we shall just see how other useful phrases can be obtained using adjectives and verbs.

6.1

In Lesson 1 we saw that the adjective came immediately after the noun that it described. We can also place *groups* of words in this position to give a greater range of description. Very often we see a verb and a noun linked together to make a 'compound adjective', as with 'he raiona *kai tangata*', which in English would be 'a *man-eating* lion'. Here are more examples.

te rōpū *tope rākau* = the *tree-felling* gang
he toa *purei tēnehi* = a champion *tennis player*
te wā *kohikohi pipi* = the *pipi-gathering* season
he rōpū *whakataetae mahi Māori* = a Māori-activity competing group (a group competing in Māori activities)
te kaimahi *whakahaere i te kani mihīni* = the *power-saw operator* (the power-saw operating worker). See 23.9 for 'kaimahi'.

Compound verbs

A 'compound verb' is formed in the same way and is used when referring to the *repeated actions* of a particular activity such as 'tree felling' or 'sheep shearing'. The action of the verb is directly linked with the object acted upon.

44

6.2

These compound verbs are used like any other verb, with the usual verb signs.

E *tope rākau* ana te tangata. = The man is *tree felling.*
I *kohikohi pūhā* ngā kōtiro. = The girls *gathered puha.*
E *tuhituhi reta* ana a Mere. = Mere is *letter writing.*
E *horoi kākahu* ana ia. = She is *washing clothes.*
Ka *mahi moni* rātou katoa. = They will all *make money* (raise funds).
He pai a Tai ki te *whakatangi piana.* = Tai is good at *piano playing.*

As in English, we could have the alternate form 'Mere is writing *(the) letters'* (= 'E tuhituhi ana a Mere i *nga reta'*), but we cannot use the compound form 'E *tuhituhi reta* ana' when only one letter is being written.

Relative clauses (I)

These clauses are very common. They are groups of words, containing a verb, used to distinguish or describe some person or thing; for example: 'the man *who is singing* ', 'the songs *that are being sung* '.

To make up relative clauses in English, we are able to use the relative pronouns 'who', 'which' and 'that'.

It has already been pointed out that there are no words in Māori that directly mean *'who* is', *'which* are', *'that* was', etc., yet if we think for a moment we realise how often it is necessary to express these thoughts.

6.3

In Māori the two phrases or grammatical structures for 'the man' and 'singing' are brought together so that the ideas they contain will relate to each other (this is called 'juxtaposition').

te tangata + e waiata ana = the man + singing = the man *who* is singing
ngā waiata + e waiatatia ana = the songs + being sung = the songs
that are being sung

Note that when we translate these sentences into English we can, if we wish, insert the appropriate relative pronoun – 'who' for people, 'that' and 'which' for things.

If we compare the sentence 'E waiata ana te tangata' (= 'The man is singing') and the clause 'te tangata e waiata ana' (= 'the man *who* is singing', we see that exactly the same words are used, but by placing the phrase 'e waiata ana' in the adjectival position directly after 'te tangata' we alter the meaning from a plain statement of action to one of description.

6.4

Here are some more examples:

ngā taitama + e patu ana i te kurī = the youths + hitting the dog = the youths *who* are hitting the dog.

te kurī + e patua ana e ngā taitama = the dog + being hit by the youths = the dog *that* is being hit by the youths

I titiro ahau ki ngā tāngata *e tiaki ana* i te pouaka moni. = I looked at the men *who were guarding* the money box.

Kua āwhinatia e mātou te kōtiro *e patua ana.* = We have helped the girl *who was being beaten.*

E kōrero ana te minita ki te tangata *e hangā ana* i te whare karakia. = The minister is talking to the man *who is building* the church.

Ka hoko ahau i te hōiho *e whāngaia ana* e te tamaiti. = I will buy the horse *that is being fed* by the child.

Ko wai mā ērā wāhine *e ruku koura ana?* = Who are those women (*who are*) *crayfish diving* (diving for crayfish)?

I kite rātou i ngā kōtiro *e waiata ana, e kata ana.* = They saw the girls (*who were*) *singing and laughing.*

In English we can often choose to leave out 'who is', 'which is', etc. and still express the same meaning. In the above examples we could say 'the man building the church' or 'the girls laughing and singing'.

Note that where the verb sign 'ana' follows a verb ending in 'a', there is a merging of sound. Thus 'ana' sounds like 'āna'.

6.5

All the examples so far have used the continuous form with the verb sign 'e...ana'. When using this form, it is possible to introduce additional shades of meaning by replacing 'ana' with one of the three particles of location: 'nei', 'nā' or 'rā'.

te tamaiti *e moe nei* = the child *who is sleeping here* (the child sleeping here)

te toki *e takoto nā* = the axe *that is lying there* (the axe lying there)

ngā tamariki *e tākaro rā* = the children *who are playing over there* (the children playing over there)

te whare hōu *e hangaia rā* = the new house *that is being built over there*

Sometimes, in certain contexts, it is appropriate to translate 'nei' as 'now' and 'rā' as 'then (in times past)'. This is similar to the way in which English idiom associates time and distance – for example, 'here and now' and 'long ago and far away'.

6.6

The continuous form (e . . . ana) can also be used with adjectives when a person or thing is described as being in a particular *state* or *condition*.

ngā wāhine e hapū ana = the women who are pregnant
te hunga e matekai ana = the people who are starving
aua mahi e tika ana = those actions (jobs) that are proper
   (respectable/fitting)
ngā tamariki e mokemoke ana, e māuiui ana, e mataku ana = the children
   who are lonely, weary and afraid

6.7

In addition to 'e. . .ana' and its variants, relative clauses are also formed by using other verb signs. 'I' (past time) is most frequent, and 'kua' (completed action) is common.

Ko rātou ngā tāngata *i haere* ki te ngahere. = They are the men *who went*
   to the forest.
ngā hipi *i kitea* e ngā hēpara = the sheep *that were seen (found)* by the
   shepherds
ngā mea *i kōrerotia* ki ā ia e te Atua = the things *that were told* to him by
   the Lord
Ko wai te tamaiti *kua hoki* ki te kāinga? = Who is the child *who has gone*
   back to the village (who has gone back home)?
Ko ēnei ngā āporo *kua kainga* e ngā manu. = These are the apples *that*
   have been eaten by the birds.

Exercise 6a

1. Mere is washing clothes.
2. I saw the girls who were being hit by the boy.
3. The shepherd who is looking at the sheep.
4. They are the shearing gang.
5. The words that are being spoken.
6. I saw the boy who was hitting the girls.
7. the woman being helped by the girls
8. Tai is the piano player.
9. He is the teacher who went to Canada.
10. the child who is crying
11. We called to the children walking over there.
12. The words that have been spoken by you are true.
13. The little dog sitting there is nice.
14. I was shooting birds.

Exercise 6b

1. Kura is very good at sewing.
2. We have all come from Auckland.
3. She is sleeping.
4. Who are those women?
5. This is the right coat.
6. Those apples are sweet.
7. The children were found by the dog.
8. You know her.
9. Tama has fed the cat.
10. She bought a new cooking pot.

LESSON 7

Prepositions (II):
'i', 'kei', 'hei'

A knowledge of these three prepositions will give a much wider range of what you are able to say. Their basic meaning is 'at'. Past time is indicated by 'i', present by 'kei', and future by 'hei'. Their use can be set out in four parts:

7.1

(a) They are used before the name of a place, or situation, to make a statement of location.

I Ruatāhuna ahau. = I *was at* Ruatāhuna.
Kei te whare rūnanga ngā manuhiri. = The guests *are at* the meeting house.
Hei tēnei wāhi te kura hōu. = The new school *will be at* this place.

'Hei' is not seen as frequently as the other two and can also be used to mean 'let (it) be at'.
Another, different, 'hei', meaning 'for use as'/'to use for', is more commonly used, so do not be confused when you meet it (see 9.13).

7.2

This word order is used to state *what* is at a particular location:

He whare karakia *kei* Maketū. = A church is at Maketū
(*There is a* church *at* Maketū).

7.3

To ask the whereabouts of some person or thing, we use 'hea'
(= 'where?').

Kei hea ngā manuhiri? = *Where are* the guests?
Kei te whare kai rātou katoa. = They are all at the dining room.

I hea koe? = *Where were* you?
I Whakatāne au. = I was at Whakatāne.

In Māori, question and answer regularly take the same form; often with just the 'question word' being replaced by the 'answer word'.

7.4

(b)   When these prepositions are used immediately before a reference to people, their names, or the appropriate personal pronoun, the meaning is 'located with' (have/has). Remember the use of the nominal particle (see 4.7).

Kei ā Rewi te toki. = Rewi *has* the axe (literally, The axe *is* 'located with' Rewi).
Kei ngā tamariki ngā āporo. = The children *have* the apples.
I ā rātou te motukā. = They *had* the car (literally, The car *was* 'located with' them).
Hei ahau te pū. = I *shall have* the gun (literally, The gun *will be* 'located with' me).

'Rewi *has* the axe', 'They *had* the car', 'I *am to have*', or 'I *shall have* the gun' would be the proper translations. The point being made is that in Māori there *is no verb* 'to have', and this is *one* way in which the idea of 'having' is expressed in Māori. 'Hēmi has the axe' (= 'Kei ā Hēmi te toki') means 'Hēmi has the axe with him'. 'Hēmi has an axe', meaning 'Hēmi owns an axe', would be 'He toki tā Hēmi', a form of sentence dealt with in Lesson 8, which is about the different forms of expressing 'possession'.

7.5

To enquire 'who has' something, use this form:

Kei ā wai te tiki? = *Who has* the tiki?
Kei ā Huria te tiki. = Huria has the tiki.
I ā wai ngā kī? = *Who had* the keys?
I ā koe ngā kī. = You had the keys.

Note that 'wai' is preceded by the nominal particle 'a', as if it were a person's name.

7.6

(c)   Used before a verb, 'kei (te)' and 'i (te)' form an alternative construction to 'E...ana', the continuous tense described in Lesson 3 (see

3.4). This form is not as common as 'e...ana', because it is rarely used in relative clauses. It appears most often at the start of sentences, where it has the important function of setting the time of the action. .

Kei te mahi a Hera. = Hera is working.
I te kai ngā tamariki. = The children were eating.
I te waiata rātou (i te hīmene). = They were singing (the hymn).

The English expression 'Hera is at work' would correspond exactly with 'Kei te mahi a Hera' (literally, 'At the work Hera'). 'At play', 'at dinner', and 'at rest' are also used in English, but unlike Māori it is not consistent – so we do not say 'at sing', 'at eat', etc. The use of 'te' before the verb has been explained in Lesson 5 (5.9 and 5.10).

7.7

The following example will give an idea of the way in which this construction and the normal verb construction might be used.

Kei te tū te kaumātua, *e kōrero ana* ki te iwi. = The elder *is standing up, talking* to the tribe.
I te noho ngā tamariki, *e kōrero pukapuka ana.* = The children *were sitting down, reading.*

7.8

Take care not to confuse the verb sign 'i' with the preposition construction 'i te...', which always indicates continuous action (-ing).

I kōrero koe. = You *talked.*
I te kōrero koe. = You *were talking.*

(d)   Used before an adjective, these prepositions make up a statement of condition or state.

7.9

Kei te ora ahau. = I am well.
Kei te pai! = Fine! (That's good!)

7.10

Commonly used question forms based on 'Kei te...' and 'I te...' are:

Kei te aha koe? = *What are* you *doing?*
Kei te hī ika ahau. = I am fishing.
I te aha a Rewi? = *What was* Rewi *doing?*
I te whawhai a Rewi. = Rewi was fighting.

7.11

To ask 'how someone is', use 'pēhea' (= 'like what?').

Kei te pēhea koe? = *How are* you? (literally, What state are you in?)
Kei te pai (ahau). = (I) am fine.

Note that two quite distinct and different meanings for 'kei' and 'hei' are dealt with in 9.13 and 17.9 and it would be best to briefly glance at those sections now.

More concerning 'i' and 'ki'

Here are some meanings of 'i' and 'ki' additional to those in Lesson 5.
    You are not expected to learn all of them at this stage, but they have been included here for ease of reference and also for you to know that they exist. This will help you form an overall picture of how Māori is organised.

7.12

i = on/at/in

This is used to relate an event or action to some time in the *past*. It is very common at the start of a narrative or a fresh passage of a story.

I taua rā ka kite mātou i a Rōpata. = *On that day* we saw Ropata.

I te atatū ka haere ia. = *At daybreak* he set off.
He makariri a Waiōuru *i te takurua.* = Waiōuru is cold *in the winter.*
I hea a Turi *i te Hātarei?* = Where was Turi *on Saturday?*
I te Mane ka haere au ki te tāone. = *On Monday* I went to town.

The names of all the days of the week are preceded by 'te', (see Lesson 13).

7.13

i = as/while

Note this very useful form in which one action is related to the time of some other action, circumstance or condition.

I a rātou e haere ana ka waiata te kaiārahi. = *While (as) they were journeying* the guide sang.
I a Hēnare e titiro ana ki te moana ka kite ia i te tima.
   = *While Hēnare was looking* at the sea he saw the ship.
I ngā tāngata e mahi ana ka tīmata te ua.
   = *While the men were working* the rain started (it started to rain).
I ā ia i Mamaku ka marena te kaiwhakaako.
   = *While he was at Mamaku* the teacher was married.
I ahau e tamaiti ana ka whakatangi au i te kōauau. =
   When I was a child I played the kōauau (flute).

7.14

i = from (from some condition or circumstance)

Ka whakaorangia mātou *i te kino.* = We shall be saved *from* evil.

7.15

i = from (away from/to deprive of)

I tangohia te tāra *i ā ia.* = The dollar was taken *from* (off) him.

7.16

i = with (to describe someone as having something with them)

te wahine *i te kete* = the woman *with* the basket
te tangata *i ngā koti e rua* = the man *with* two coats

Some people use 'me' (= 'with/together with/and') in this situation.

7.17

A useful 'ki':

ki = according to (in my opinion/to my way of thinking)

Ki a Hēnare.he tūī tērā manu. = *According to* Hēnare that bird is a tūī.
Ki ahau ko tēnei te huarahi tika. = *In my opinion* this is the right road.

Remember the use of the nominal particle after the preposition 'ki'.

7.18

ki = with (to do something *with* something)

This is a special word for 'with', used when saying a certain action is performed *with* something.

Kei te tope ia i te wahie *ki* te toki iti. = He is chopping the firewood *with* the small axe.
I whakakī rātou i ngā kapu *ki* te wai. = They filled the cups *with* water.

In these sentences the things with which the actions are performed are 'the small axe' and 'water'. The grammatical term for them is the 'instrument', and 'ki' is the 'sign of the instrument'. However, 'ki' is only used in relation to the use of some tool or implement, or some commodity that will pour like water or petrol. To say 'with' in cases where these conditions do not apply – for example, in reference to *feelings* or *qualities* – 'i' is used.

Kī tonu a Tēpene *i* te whakapono, *i* te mana. = Stephen was filled *with* belief, and *with* power.

This aspect is considered more closely in Lesson 22, on 'neuter verbs', but the above example should indicate what is meant.

Exercise 7a

1. How is he?
2. While I was sleeping the dogs ran off.
3. Ānaru was at Whakatāne.
4. Who has the pen?
5. Where is Henare?
6. In the summer we went to Ōpōtiki.
7. He is sad.
8. They hit him with a stick.
9. Hoani and the others will be at the dance.
10. We had the books.
11. We were talking to the workmen.
12. You were singing. I listened.

13. What is the food like?
14. They are at the house.
15. What are those dogs doing?
16. Those children have the towels.
17. I am writing.
18. The men are at the village, building the new house.
19. I have the meat.
20. According to you who are/were those men?
21. She ate. She was eating.

Exercise 7b

1. The girl is letter writing (writing letters).
2. She sang to them all.
3. They woke the baby.
4. I know this child.
5. You have seen the church.
6. She was found by the men.
7. We had better sit.
8. Monika has returned from Ōpōtiki.
9. He talked to the (a) wise woman.
10. She is very good at sewing.

Possession (I)

Now we come to words that denote possession. The words introduced in this lesson are related to each other, and in some cases they look alike, but when translated into English there are *distinct differences* of meaning. The word orders are very important, so care must be taken to learn them correctly. It is for this reason that the parts of this lesson, and Lesson 9, have been set out in full detail, which may give the impression that there is more to learn than there really is.

First it will be noticed that all the parts of speech in this lesson have two forms, an 'a' form and an 'o' form. Certain things require the use of the 'a' form and others require the 'o' form. Although familiarity alone will lead to the use of the correct form, there is an underlying principle that governs which one is used in each case.

(a)   The 'a' form (active) is used for people or things over which you have authority, control, or influence.

(b)   The 'o' form (passive) is used for people or things that have authority, control or influence over you; also used for parts of things, feelings, and abstractions or qualities.

'Of' (= 'a/o')

The simple words 'a' and 'o' (= 'of') will help to illustrate this. For example, we say 'te tama *a* Rewi' (= 'the son *of* Rewi') and 'te matua *o* Rewi' (= 'the father *of* Rewi').

Small objects, such as tools or weapons, which we actively use, take the 'a' form: 'ngā naihi *a* Hēnare' = 'the knives *of* Hēnare (Hēnare's knives)'.

Clothes and houses shelter or protect us from cold, and we are passive to their influence, so they take the 'o' form.

te whare o te tangata = the man's house
ngā kakahu o te wahine = the woman's clothes

Canoes, cars, and horses carry us along while we just sit there, so they take the 'o' form. We benefit from a friend, so 'hoa' takes 'o'.

We must make some effort with food, 'a', but water, 'o', can just be poured down our throats!

8.1

'Of ' ('the...of ' or 'this/that/those...of '):

te pukapuka *a* te māhita = the master's book (*the* book *of* the master)

ngā pene *ā* ngā tamariki = the children's pens (*the* pens *of* the children)

te whare *o* te māhita = the master's house (*the* house *of* the master)

ngā kākahu *ō* ngā tamariki = the children's clothes
     (*the* clothes *of* the children)

te mere *a* Toroa = Toroa's mere (*the* mere *of* Toroa)

tēnei taha *o* te whare = *this* side *of* the house

erā peka *o* te rākau = *those* branches *of* the tree

te aroha *o* Puhihuia = *the* love *of* Puhihuia

Note that 'a' and 'o' are pronounced long ('ā', 'ō') when the following word starts with a syllable that has a long vowel.

8.2

Once we can say 'Hera's hat' and 'the children's books', we want to be able to say '*her* hat' and '*their* books'. This requires the use of the possessive adjectives 'my', 'your', 'his', 'our', 'their', etc. These are set out here in a table similar to the pronouns in Lesson 3 (3.12), to show the 'a' and 'o' forms in the singular and plural.

Possessive adjectives

	One thing possessed	Several things possessed
One person:		
my	tāku/tōku	āku/ōku
your	tāu/tōu	āu/ōu
his/her	tāna/tōna	āna/ōna
Two people:		
our (inclusive)	tā tāua/tō tāua	ā tāua/ō tāua
our (exclusive)	tā māua/tō māua	ā māua/ō māua
your	tā kōrua/tō kōrua	ā kōrua/ō kōrua
their	tā rāua/tō rāua	ā rāua/ō rāua
More than two people:		
our (inclusive)	tā tātou/tō tātou	ā tātou/ō tātou
our (exclusive)	tā mātou/tō mātou	ā mātou/ō mātou
your	tā kōutou/tō kōutou	ā kōutou/ō kōutou
their	tā rātou/tō rātou	ā rātou/ō rātou

Note:
(a) For 'inclusive' and 'exclusive', refer back to Lesson 3 (3.12).
(b) The word 'tō' is often used as an alternative form to 'tāu' (= 'your (one person)') and by some people as an alternative form to 'tōu'.

8.3

Here are examples that will make their use clearer (note that they always come *before* the noun):

tōku motukā = my car
ōnā hōiho = his horses
āku kete = my baskets
tāna toki = his axe
tā rāua tamaiti = their child (two people, one child)
ā rātou tamariki = their children (several people, several children)
tō kōutou whare = your house (several people, one house)
tō tātou rangatira = our chief (several people, one chief)
ō mātou kākahu = our clothes (several people, several garments)
ā māua pū = our guns (two people, several guns)
tō tāua waka = our canoe (two people, one canoe)
I haere *ā taūa tamariki* ki *tō rātou wharekura.*
    = *Our children* went to *their schoolhouse.*
E kōrero ana *tō kōutou rangatira* ki *tāna tamaiti.*
    = *Your chief* is talking to *his child.*
Kua kai *tā rāua tamāhine* i *āna rīwai.*
    = *Their daughter* has eaten *her potatoes.*

8.4

Where we use two possessives, like 'of my', 'of your', 'of his', and so on, we meet various combinations of the 'a' and 'o' forms.

te pene *ā tōna* whāea kē = the pen *of his* aunt (his aunt's pen)
ngā ringaringa *ō āku* tamariki = *my* children's hands
te whare *ō tōu* hoa = the house *of your* friend (your friend's house)
ngā pukapuka *ā tā rāua* tamaiti = *their* child's books

The plural forms of 'of our', 'of your', and 'of their' provide interesting examples. Do not be put off by them; they are just introduced to illustrate the possible range.

te whare *o ō mātou* mātua = *our parents'* house
ngā hū *o ā tāua* tamāhine = *our daughters'* shoes
ngā rākau *a ō tātou* rangatira = *our chiefs'* weapons
te kai *a ā rāua kurī* = *their dogs'* food

Whereas 'a/o' (= 'of ') is pronounced 'short', 'ā rāua', 'ō tātou', etc. are pronounced 'long'.

8.5

If we use the plural forms set out in 8.2 and place them in the adjectival position directly after a noun, we have the equivalent of 'of mine', 'of his', 'of ours', 'of theirs', etc.

Particularly note that the *plural form* is used whether *one thing or several* is/are described.

He tino pai tēnei pukapuka *āna*. = This book *of his* is very good.
He tino pai ēnei pukapuka *āna*. = These books *of his* are very good.
Hōmai tēnā hū *ōku*. = Give me that shoe *of mine*.
Hōmai ēnā hū *ōku*. = Give me those shoes *of mine*.

This construction can easily be confused with others, but it has its own distinct meaning.

8.6 'To have'

Permanent possession, or ownership, as opposed to temporary possession (see 7.4), is shown by the following important construction. These are direct statements about actual ownership.

He wahine tāku. = I have a wife.
He toki tāu. = You have an axe.
He motukā ōna. = He has cars.
He tamaiti tā tāua. = We have a child.
He whare ō rātou. = They have houses.
He kākahu ō koutou. = You have clothes.
He tūpara tā Rōpata. = Rōpata has a shotgun.
He poi ā Hera. = Hera has poi.
He rua ō ngā pōkiha. = The foxes have dens.
He kurī ā Hoani. = Hoani has dogs.

All the other possessive adjectives set out in 8.2 can be used as the ones in the first six sentences, in either their singular or plural forms.

Compare the last example with this: 'He kuri a Moimoi' (= 'Moimoi is/was a dog').

In Māori legend Moimoi was the name of the first dog. Moimoi is the subject of the sentence, so the nominal particle 'a' (in most cases short) is used. With 'Hoani has dogs', the possessive 'ā' (long) is used.

In 8.1 we saw that, for example, 'Hemi's gun' would be expressed as 'te pu a Hemi'. This is the most commonly used pattern. It should be mentioned here, however, that another form exists, exactly corresponding to the apostrophe ('s) form used in English, but more restricted in the range of associated constructions.

8.7

tā Hēmi pū = Hēmi's gun
tō Hēmi hōiho = Hēmi's horse
ā Hēmi pū = Hēmi's guns
ō Hēmi hōiho = Hēmi's horses

This form is frequently used when making 'comparisons' (see 16.5).

Exercise 8a

1. the chief's canoe (the canoe of the chief)
   the men's paddles (the paddles of the men)
2. the dog's feet
3. Our mother is talking to our friends.
4. our shoes
5. our (two people) grandchildren
6. her hat

7. the weapons of Te Wherowhero
    Te Wherowhero's weapons (two forms)
8. His daughter saw their horse.
9. I saw a dog of Tai's.
10. the car of the minister
    the minister's car (two forms)
11. He has a book.
12. She has daughters.
13. She has houses.
14. They have a girl.
15. that friend of yours (several people)
16. these cups of yours (one person)
17. They set off to their son's shop (the shop of their son).
18. the girl's eyes

Exercise 8b

1. They arrived from Maketū, Whakatāne and Rotorua.
2. The clothes are being washed by Mere and Sue.
3. The girls sitting over there had better eat.
4. According to Hine this book is very good.
5. I love her.
6. She has gone to buy the papers.
7. Who is the old lady feeding the hens?
8. You have the watch.
9. They have returned (gone back).
10. They have returned (given back) all the things.

LESSON 9

Possession (II)

We must continue with various forms denoting possession. No other aspect of the Māori language is quite as extensive or intricate, so if you can learn the points covered in this and the previous lesson nothing *in the rest of the book* will be as difficult.

9.1

We started Lesson 8 with how 'the...of' was expressed. The first point in this lesson is 'a (something) of' or 'a (something) belonging to'. (Use whichever translation seems most suitable to the context.) This will be much easier to follow in the examples.

he tamāhine *nā* Rua = *a* daughter *of* Rua (daughters *of* Rua)
he hipi *nā* rātou = *a* sheep *belonging to* them (sheep *belonging to* them)
he toki *nāna* = *an* axe *of his* (axes *belonging to* him)
he hoa *nōna* = *a* friend *of his* (friends *of his*)
he whenua *nō* Te Heuheu = land *belonging to* Te Heuheu

Note that all the words set out in 9.3 can be used *directly after* a noun that is preceded by 'he' to mean 'belonging to' or 'of'. The rest of these examples make comparison with 8.1.

te pukapuka *a* te kaiwhakaako = the book *of* the teacher
   (the teacher's book)
he pukapuka *nā* te kaiwhakaako = *a* book *of* (belonging to) the teacher
ngā whare *ō* te rangatira = *the* houses *of* the chief (the chief's houses)
he whare *nō* te rangatira = *a* house *of* the chief
   (houses belonging to the chief)
He piupiu tenei *nō* Maku. = This is *a* piupiu *belonging to* Maku.

9.2

To make a direct statement of possession use:

nā/nō = belongs to

Nā ngā kōtiro ēnei poi. = These poi *belong to* the girls.
Nō Ngāti Whakaue tērā whare whakairo. = That carved house *belongs to*
   Ngāti Whakaue.
Nā Tangimoana tēnā pukapuka karakia.
   = That prayer book *belongs to* Tangimoana (is Tangimoana's).

An alternative translation could be 'The girls *own* these poi', etc. Also compare, and note the difference, with 'Ko ēnei ngā poi ā ngā kōtiro' (= 'These are the girls' poi').

9.3 Possessive pronouns

A group of possessive pronouns are formed from 'nā/nō'. They come before the subject and state that it belongs to someone, without direct use of their name.
   The same form is used for singular (one thing) or plural (several things).

One person:	nāku, nōku = belongs to me
	nāu, nōu = belongs to you
	nāna, nōna = belongs to him/her
Two people:	nā tāua, nō tāua= belongs to us (inclusive)
	nā māua, nō māua = belongs to us (exclusive)
	nā kōrua, nō kōrua = belongs to you
	nā rāua, nō rāua = belongs to them
Several people:	nā tātau, nō tātou = belongs to us (inclusive)
	nā mātau, nō mātou = belongs to us (exclusive)
	nā koutou, nō koutou = belongs to you
	nā rātou, nō rātou = belongs to them

9.4

Here are some of them in use.

Nōna tērā motukā. = That car *belongs to him.*
Nā māua tēnā tamaiti. = That child *belongs to us.*
Nōu ēnā kakahu. = Those clothes *belong to you.*
Nā rātou aua kani. = Those saws *belong to them.*
Nāku tēnei. = This *belongs to me.*

Translating into English, we could also say 'That car is his', 'Those saws are theirs', 'These clothes are yours', etc.

9.5

Occasionally we need to say, for example, 'He is the man *to whom* this car belongs', using a fact of possession to describe a particular person.

To form a sentence in this way, we use 'nāna/nōna' (= 'to whom...belongs'/ 'who owns'). Only 'nāna/nōna' is used, *not* the other possessives set out in 9.3, even though more than one thing or several people are referred to.

Ko ia te tangata *nōna* te motukā nei. = He is the man *to whom* this car *belongs*.

Ko Mere mā ngā kōtiro *nāna* ngā pene.
   = Mere and the others are the girls *to whom* the pens *belong*.

Ko Ngāti Whakauē te iwi *nōna* te whenua nei.
   = Ngāti Whakauē is the tribe *to whom* this land *belongs* (Ngāti Whakauē is the tribe *that owns* this land).

9.6

Next, and similar in principle to 'nā/nō', we have:

mā/mō = for

Mā ngā tamariki ēnā kai. = That food *is for* the children.
Mō Wiki ēnei tōkena. = These stockings *are for* Wiki.

The following two examples show 'mā/mō' used descriptively.

he kai *mā* ngā tamariki = some food *for* the children
te karakia *mō* te Paraire Pai = the service *for* Good Friday

9.7

We also have a set of pronouns formed from 'mā/mō' that follow just the same scheme as 'tāku/tōku' etc. and 'nāku/nōku' etc.

One person:	māku, mōku = for me
	māu, mōu = for you
	māna, mōna = for him/her
Two people:	mā tāua, mō tāua = for us (inclusive)
	mā māua, mō māua = for us (exclusive)
	mā kōrua, mō kōrua = for you
	mā rāua, mō rāua = for them
Several people:	mā tātou, mō tātou = for us (inclusive)
	mā mātou, mō mātou = for us (exclusive)
	mā koutou, mō koutou = for you
	mā rātou, mō rātou = for them

9.8

Used before the noun, these words make a *plain statement*. The *same* form is used for singular and plural.

Māku tēnei reta. = This letter *is for me.*

Mō kōrua tēnei mōenga. = This bed *is for you.*
Mā rātou tērā heihei. = That hen *is for them.*
Māku ēnei reta. = These letters *are for me.*
Mō koutou ēnei mōenga. = These beds *are for you.*
Mā rātou ērā heihei. = Those hens *are for them.*

9.9

Placed *after* the noun, the words set out in 9.7 make a *descriptive statement.*
The *same* form is used for singular and plural.

he pū māna = a gun for him (guns for him)
te pukapuka māku = the book for me
ngā pukapuka māku = the books for me
ngā whare mō koutou = the houses for you (the houses that are for you)
Ko tēnei te reta mā Rōpata. = This is the letter for Rōpata.
Ko ēnā ngā kapu mā tōu tuahine. = Those are the cups for your sister.

9.10

It is important with 'mā/mō' (= 'for') to use the correct form: 'a',
signifying active, or 'o', signifying passive. This will be seen clearly in the
next example, in which we must imagine a Pakeha trader presenting an
old-time Māori chief with a cooking pot, a valuable item of trade.

Māu tēnei kōhua. = This cooking pot is for you (active: to have use of).
Mōu tēnei kōhua. = This cooking pot is for you (passive: to be cooked
in).

In the circumstances described, it would have been most impolite, and not a little risky, to select the second of these two choices. Perhaps that is what happened to Mr Cabbage, one of the first two traders to reach the Hot Lakes District.

9.11

In a manner similar to 'nāna/nōna' in 9.5, 'māna/mōna' can be used after the subject to mean 'for whom', 'who is to have', or 'to whom (it) will belong'.

Ko Paki te mokopuna *mōna* te whare o Ānaru.
  = Paki is the grandchild *who is to have* Anaru's house.

9.12

'Mō' is often used to mean 'concerning' or 'about'.

He pūrākau tēnei *mō* ngā patupaiarehe.
  = This is a legend *about* the fairy people.
Mō rātou te waiata tuatahi. = The first song is *about* them
  (concerning them).

Note that '*Mā* rātou te waiata tuatahi' means 'The first song will be (sung) by them' . (This will be discussed in Lesson 15.)

9.13

Here is a quite separate, but commonly seen, 'for'.

hei = to serve as/for use as/to use for/for

Hei whakairo i te waka ēnei taputapu.
  = These tools *are for carving* the canoe.
Kei hea te toki *hei* tapahi i te wahie?
  = Where is the axe *for* cutting the firewood
  (*with which to* cut the firewood)?

Ko tēnei whare *hei* whare īnoi.
  = This house *will be (serve as)* a house of prayer.

9.14 The prefix 'whai'

An adjective denoting possession is formed by putting 'whai' in front of a noun.

he wahine *whaimoni* = a woman *possessing money* (a rich woman)
he kaumātua *whaimana* = an elder *having authority*

9.15 Interrogatives: questions and answers about ownership

Nō wai tērā whare? = *Whose is* that house
   (or, *Whose* house *is* that, or, *To whom does* that house *belong)?*
Nō Winiata tērā whare. = That house *belongs to* Winiata.
Nā wai ēnā pene? = Whose pens are those? (*Whose are* those pens?)
Nā Mere ēnei pene. = These pens *are Mere's* (These pens *belong to* Mere).
Nō hea ērā tāngata? = *Where are* those men *from?*
Nō te Tai Rāwhiti rātau, nō Ngāti Porou.
   = They are from the East Coast, from Ngati Porou.

Note that 'I hea koe?' means 'Where were you?' or 'Where have you just come from?'

9.16

Mā wai ēnei rare?
   = *Who are* these lollies *for?* (Who is to have these lollies?)
mā Hōne mā = *for Hōne* and others
Mō wai tēnei pōtae hōu? = *Who is* this new hat *for?*
Mō Julie tēna pōtae hōu. = That new hat is *for Julie.*

9.17

Hei aha tēnei mea? = *What* is this thing *for?*
hei waru i te riwai = for scraping potatoes

Exercise 9a

1. This truck is for them.
2. This stick is for you (to use).
3. the eels for you
   water for us
4. a coat of yours (belonging to you)
5. Those shoes are mine (belong to me).
6. This is a story about Māui (this story concerns Māui).
7. Where are all those men from (where do they belong)?
8. Whose lands are these?
9. These big cakes are for them.
10. That tiki is Hēnare's (belongs to Hēnare).
11. a comb of hers (a comb belonging to her)
12. Whose are those fish (to whom do those fish belong)?
13. This land belongs to Ngāti Tūwharetoa.
14. Those fish are ours.
15. some bread for the birds
16. Te Arawa is the tribe that owns that island.

17. These are the letters for Hera.
18. The needles for sewing the shirts belong to Rangi.
19. a proverb about the kotuku (white heron)

Exercise 9b

1. Mere has sung.
2. I shall return the car.
3. The windows were washed by the children.
4. All the cakes have been eaten by the girls.
5. They are pipi gathering.
6. Hōne is at Rotorua.
7. Rewi has the matches.
8. While he was working Hine arrived.
9. According to Paki the peaches are very nice (pai).
10. He hit the dog with the stick.

Passage for Translation (1)

All the points in this passage have been covered in the lessons you have
done so far, except for any sentences that are followed by a section num-
ber. These few extra points are included to make it easier to write a con-
nected story. In some cases the section numbers are given just to give you
a little help. The constructions used in this passage represent the *minimum*
necessary for the expression of everyday ideas in Māori.

Whakapākehatia tēnei = Translate this into English

Kei Rotorua tēnei whare.
Ko tēnei te whare o Hine.
Kei te whare o Hine a Monika.
Ko Monika te hoa o Hine.
Kei roto ngā kōtiro tokorua (13.3) i te ruma o Hine (14.4).
He rūma tino pai tēnei.
Kei te tū a Monika. Kei te noho a Hine.
Kua tae mai (11.1) te whaea o Hine ki te whare (kāinga).
Kua hoki mai ia i ngā toa.
Ka pātai a Monika ki a Hine.
Ko Monika: Ko wai te wahine e kōrero ana ki tōu whaea?
Ko Hine: Ko Hera tōna ingoa. Ka haere rāua ki te tāone ki te hoko kai.
    Kua mauria mai ā mātou kai e rāua.
Ko Monika: He aha ngā kai?
Ko Hine: He rīwai, he kāpeti, he kūmera, he hēki, he parāoa, he ārani,
    he āporo, he aha, he aha.
Ko Monika: He tino pai aua (1.11) hua whenua. He tino pai aua kai
    katoa.
Ko Hine: Āe, e hiahia āna au ki te kai i ērā āporo nunui!
Kei ā Hine te(tahi) kākahu. Kei te titiro a Monika ki ā ia.
    Ka pātai anō (10.2) ia ki tōna hoa.
Ko Monika: E Hine, e aha āna koe?
Ko Hine: E tuitui ana ahau i tōku kākahu. Ko tēnei tōku kākahu hōu.
Ko Monika: He tino pai koe ki te tuitui kākahu.
    E pai ana ahau ki te kara o tōu kākahu (4.4).
Ko Hine: Āe, he kahurangi te kara nei.
Kua kite a Monika i te waerehe.
Ko Monika: Nā (9.15) wai tēnā waerehe i runga i (14.6) te tēpu?

69

Ko Hine: Nā tōku tūngane, nā Paki. He waerehe tino pai tēnei.
I hokona e (4.2) tō māua pāpā.
Ko Monika: I te whakarongo (7.6) au ki a John Rowles inanahi.
He tangata rongonui ia ki te waiata.
Ko Hine: Āe, e mōhio ana ahau ki tetahi o ōna tuahine (4.4).
Kei te kimi a Monika i te pene.
Ko Monika: Kei a koe te pene?
Ko Hine: Kāo, kei roto te pene i te kāpata rā.
Ko Monika: E hiahia āna ahau ki te tuhituhi ki tōku kuia. Kei Taupō ia.
He tāone tino pai a Taupō (14.2).
Ko Hine: Ko wai te ingoa o tōu kuia?
Ko Monika: Ko Mākareta.
Ko Hine: Ko wai te ingoa o tōu koroua?
Ko Monika: Ko Arapeta tōna ingoa.
Ko Hine: He aha tāna mahi?
Ko Monika: He taraiwa ia.
Ka haere ia ki ngā paamu katoa, ki ngā wheketere hoki (19.19).
Kei te mōhio ngā tāngata katoa ki (4.4) a Arapeta rāua ko Mākareta.
Ko Hine: Āe, ka pai, me tuhituhi koe ki a rāua ināianei.
Ka noho a Monika. Ka tīmata ia ki te tuhituhi i te reta ki ōna tīpuna.
Kua tikina e Hine ngā āporo i te kīhini, a (19.20), e kai ana rāua i ngā
āporo.
Ka tuitui tonu (10.2) a Hine i tōna kākahu. Ka titiro a Monika ki tāna
wati.
Ko Monika: E Hine, me hoki au ki te kāinga ināianei, ki te whāngai i
tāku puihi.
Ko Hine: He whakaaro pai tēnā, kei te hiakai pea tāu puihi.
Ka tū a Monika ki te haere. Ka whakahoki ia i te pene ki a Hine.
Ko Hine: Ka haere kōrua ko Paki ki te kanikani āpōpō?
Ko Monika: Ae, e pai ana māua ki te kanikani.
Ko Hine: Haera rā!
Ko Monika: E noho rā!

What it said

This house is at Rotorua.
This is Hine's house.
Monika is at Hine's house.
Monika is Hine's friend.
The two girls are in Hine's room.
This is a very nice room.
Monika is standing up. Hine is sitting down.
Hine's mother has arrived at the house (home).
She has returned from the shops.
Monika asks Hine.
Monika: Who is the lady talking to your mother?

Hine: Her name is Hera. They went to town to buy food.
  They have brought our food.
Monika: What food(s)?
Hine: Potatoes, cabbages, kumera, eggs, bread, oranges, apples and
  such like (and so on).
Monika: Those vegetables are very good. All those things to eat
  (foods) are very good.
Hine: Yes, I want to eat those big apples!
Hine has a dress. Monika is looking at her.
  She again asks (questions) her friend (10.2).
Monika: Hine, what are you doing?
Hine: I am sewing my dress. This is my new dress.
Monika: You are very good at dress making (sewing dresses).
  I like the colour of your dress.
Hine: Yes, this colour is sky-blue.
Monika has seen a radio.
Monika: Who does that radio on the table belong to?
  (Whose is that radio on the table?).
Hine: It belongs to my brother, Paki. This is a very good radio.
  It was bought by our father (Our father bought it).
Monika: I was listening to John Rowles yesterday.
  He is well known (famous) for singing.
  (He is a famous person at singing.)
Hine: Yes, I know one of his sisters.
Monika is looking for a pen.
Monika: Have you (got) a (the) pen?
Hine: No, the pen is in that cupboard.
Monika: I want to write to my grandma. She is at Taupo.
  Taupo is a very nice town.
Hine: What is your grandma's name?
Monika: It is Mākareta.
Hine: What is the name of your grandfather?
Monika: His name is Arapeta.
Hine: What is his job?
Monika: He is a driver.
  He goes to all the farms and factories.
  All the people know Arapeta and Mākareta.
Hine: Yes, you had better write to them now.
Monika sits down. She starts to write the letter to her grandparents.
Hine has fetched the apples from the kitchen and they are eating the
  apples.
Hine continues sewing her dress. Monika looks at her watch.
Monika: Hine, I had better go back home now, to feed my cat.
Hine: That's a good thought, your cat is probably hungry.
Monika gets up to go. She gives the pen back to Hine.
Hine: Are you and Paki going to the dance tomorrow?

Monika: Yes, we like dancing.
Hine: Goodbye!
Monika: Goodbye!

Adverbs (I)

Adverbs are used with a verb to give added description, usually of quality or degree, to the idea expressed by the verb. Their relation to the verb is similar to that of an adjective to a noun.

The adverb is placed *directly after* the verb, apart from a few exceptions listed later in the lesson.

10.1

Many words we have already used as adjectives can also be used as adverbs.

Adjective
te hōiho *tere* = the *swift* horse
tērā tangata *mōhio* = that *wise* man

Adverb
I oma *tere* te hōiho. = The horse ran *swiftly*.
Kua kōrero *mōhio* tērā tangata. = That man has spoken *wisely*.

10.2

Here are examples of common adverbs and the way in which they are used. Some are 'adverbs of time' and others are 'adverbs of manner', but the principle is the same.

Ka haere *wawe* ia, ki te tāone. = He will set off *soon*, for (to) town.
I titiro *anō* ia ki ā ia. = He looked *again* at her (He looked at her again).
E noho *puku* ana rātou. = They are sitting *silently*.
I te whakaaro *kē* ia. = She was thinking *differently*.
Kua moe *kē* a Hēnare. = Hēnare had slept *already* (was already asleep).
Ka haere *tika* mātou ki tō mātou kāinga. = We shall go *straight* to our home.
I te noho *kau* ia i (roto i) te waiariki. = He was sitting *naked* in the hot-spring.

Kei te waiata *koa* rātou. = They are singing *joyfully.*
I te karanga *riri* ia ki ngā taitama. = He was calling *angrily* to the youths.
Ka patu *anō* rātou i ngā kurī. = They hit the dogs *again.*
ērā wāhine e mahi *kaha* rā = those women who are working *hard*
  (strongly)
Ko Kupe te tangata i haere *tonu.* = Kupe was the man who *kept on* going.
te hunga e noho *tata* āna ki te whare karakia = the people (who are) living
  close to the church
etahi hēpara e noho *koraha* ana = some shepherds (who were) staying *out
  in the wilds*

Note that it makes no difference to the use or placing of the adverb
whether the verb is made up with verb signs ('e...ana', 'ka', etc.) or with
prepositions ('i te', 'kei te', etc.) or whether the verb is used to make a
statement or to form a relative clause, as shown in the last four examples
(see 6.4).

10.3 Passive agreement

When an adverb is used with a verb in its passive form, with a passive
ending, the adverb is often given the same passive ending, usually '-a' or '-
tia'. This is called making it 'agree' with the form of the verb.

I waiata*tia* pai*tia* ngā karakia. = The prayers were sung well.

Ka kōrero*tia* tonu*tia* ēnei whakataukī. = These proverbs will be
   continually spoken.
Iriiri*a* katoa*tia* āna ē ia ki te awa. = All were baptised by him at the river.

10.4

Three irregular adverbs that are used *before* the verb are sometimes seen:
'mātua' (= 'first/firstly'), ' āta' (= 'carefully/deliberately') and 'āhua'
(= 'somewhat/a bit').

I *mātua* haere rāua ki tō rāua matua. = They went *first* to their father.
Ka *āta* kōrero ia i te pānui. = He *carefully* read the notice.
Kei te *āhua* mate au. = I am *somewhat* ill.

Exercise 10a

1. Who are the men talking secretly over there?
2. I shall return again to my home.
3. They were looking carefully at the thing lying on the road.
4. She is correctly singing the words.
5. First he sought the matches.
6. Hau and Haora are working together (use 'tahi', meaning 'as one').
7. That girl is being continually scolded (scolded continually).
8. You will think differently.
9. Hori is a bit angry.

Exercise 10b

1. my friend's car (the car of my friend)
2. They (two) have children.
3. Hera has (got) the bucket.
4. They were sleeping.
5. She knows those girls.
6. Rōpata, Hōne, Mere and Manu are working.
7. That knife belongs to me.
8. Tom is at the meeting house talking to the guests.
9. Kuini will return to Hokianga.
10. I am the man (person) who went to town.

LESSON 11

Adverbs (II): 'mai', 'atu'

Continuing from Lesson 10, we come to two very commonly used adverbs, the adverbs of direction 'mai' and 'atu'.

mai = hither/to this place/*towards* the speaker or central person in a story
atu = thither/to that place/*away* from the speaker or central person in a story.

11.1

'Hither' and 'thither' are rarely seen in modern English, but in Māori this concept is considered very important. We must try to become used to the idea of putting them in, when speaking or writing Māori, because the words themselves are not translated into English.

Ka kī *atu* ia ki a rātou. = He spoke to them.
I whakahoki *mai* rātou ki ā ia. = They replied to him.
Kei te haere *atu* au ki Ruatāhuna. = I am going to Ruatāhuna.
Kua tae *mai* tō mātou tuahine ki te kāinga. = Our sister has arrived home.
Ko wai ngā tāngata e haere *mai* ana? = Who are the men who are coming *towards us*?
Ko ēnei ngā mea i mauria *mai* e tōku hoa. = These are the things that were brought by my friend.

11.2

Where necessary, 'mai' and 'atu' can be used as well as an ordinary adverb.

Ka haere *atu anō* ia. = He went (forth) *again*.

11.3

When the continuous tense is used, in the ordinary way or as a relative clause, 'mai' and 'atu', *or any other adverb*, are usually included within the verb signs, immediately after the verb.

E tae *mai* ana ngā manuhiri. = The guests are arriving.
nga manuhiri e tae *mai* ana = the guests who are arriving

Note that certain examples given in earlier lessons could very well have included 'mai' or 'atu', but they were not used. This was so that other constructions could be shown with less confusion. However, it would be more 'natural' Māori for them to be included.

11.4

The use of these two adverbs of direction is most readily understood when actual movement or attention in a particular direction is involved, but in fact they are *complementary* to each other. Once one 'party' has used 'mai', for instance, the other 'party' *will come into line* and use 'atu'.

Ka karanga *atu* tāua ki ngā tāngata e noho *mai* rā. = We shall call out to the people sitting over there.
I te haere *mai* te hoariri. E tatari *atu* ana tātou ki a rātou.
 = The enemy were advancing. We were awaiting them.

Although you are not moving, your 'waiting' is directed (atu) towards the enemy who are stated to be coming towards you (mai).

11.5

The verb 'to give' has atu or mai built into it to make 'hōmai' and 'hōatu.'

Kua *hōmai* ia i te pukapuka ki ahau. = He has given the book to me.
Kua *hōatu* ahau i te pukapuka ki ā ia. = I have given the book to him.

11.6

'Hōmai' and 'hōatu' do not take a passive *ending* but can be used in the passive sense just like other verbs.

ētahi pukapuka i *hōatu* e te minita ki a rātou = some books that were given by the minister to them

11.7

There are two other common adverbs of direction to which the same principle applies.

ake = from below/upwards
iho = from above/downwards

I piki *ake* mātau ki ngā hua rākau e iri *iho* ana. = We climbed *up* to the fruit (that were) hanging *down*.
I titiro *iho* a Māui ki ngā tangata e noho *ake* rā. = Maui looked *down* at the men sitting down there.

Sentences of this type are frequently used in the classical Māori stories, so it is best to be acquainted with these adverbs.

In the last example, Māui had been hung (up) in the rafters of his enemy's meeting house. In relation to him, the main person in the story, the people were sitting 'up'. They could have been 'sitting up and taking notice' but were probably just sitting 'down'. It is all a matter of different idioms.

Exercise 11a

1. Mutu spoke to me.
2. I talked to Mutu.
3. He called (down) to the men who were looking up at him.
4. I am listening to the tui calling (tangi = bird call).
5. The money has been given to the orphans.
6. He is the teacher who went to England.
7. The local people are gathering here.
8. I shall climb up to the apples.
9. My money has all been given to that man.
10. The soldiers came, and he was taken away (ā = and/and then/and next thing).

Exercise 11b

1. the girl's home
2. Koro brought the cows.
3. She has called the guests.
4. While he was sleeping the horse escaped (oma).
5. I shall sharpen the pencil with this knife.
6. They started to work.
7. He looked at her.
8. They have gone to a big town.
9. He has returned to Whāngārei.
10. She is the girl who sang to us.
11. He has returned (given back) the chairs.

LESSON 12

Relative Clauses (II)

In Lesson 6 we saw how a person or thing could be described by using a relative clause. The clauses shown had the equivalent meaning to sentences using the English relative pronouns 'who' and 'which'. Now we look at other clauses formed in a very similar way but with differences in meaning.

If the phrases are separated, and then rejoined, it is easier to decide which is the appropriate relative pronoun to insert in the English translation. It must be mentioned again that these particular words do not occur in Māori, but that the equivalent meaning is obtained by 'juxtaposition' (the stating of one thing directly after another to produce an association of ideas). The first few examples have the phrases separated with a plus sign (+) for clearness.

12.1

'Where/at which' (refers to the place where someone is carrying out some action):

te hōtēra + e noho rā tōku hoa
    = the hotel + my friend is staying
    = the hotel *where (at which)* my friend is staying

Ko tērā te wheketere + e mahi ra a Koro.
    = That is the factory + Koro is working.
    = That is the factory *where* Koro is working.

Te wāhi e tū nā koe, he oneone tapu.
    = The place you are standing, is holy ground.
    = The place *where (at which)* you are standing is holy ground.

12.2

'That/whom' (refers to people being acted upon, or receiving some attention):

ēnei tamariki + e whāngai nei ahau
    = these children + I am feeding
    = these children *that* I am feeding

te wahine + e korero na koe
    = the woman + you are talking there
    = the woman *that* you are talking to

In the first example either translation is correct. In the second example the more formal 'the woman *to whom* you are talking' could be used as the translation.

12.3

'That/which' (refers to things other than people that are being acted upon, or receiving some attention):

te wharau + e hanga rā rātou
    = the shed + they are building there
    = the shed *that (which)* they are building there

te mahi + e hiahia ana au
    = the work + I desire
    = the work *that (which)* I desire

12.4

Take care not to confuse clauses set out in these examples using 'e...nei/nā/rā', and *followed in most cases by a person's name or a pronoun*, with the purely descriptive clauses using 'nei', 'nā' and 'rā' to indicate location (6.5).

Nāku te toki *e takoto nā.*
    = The axe lying there (by you) belongs to me.
Nāku te toki *e whakakoi nā koe.*
    = The axe you are sharpening there belongs to me.

12.5

Note that these two constructions result in the same meaning:

te whare e hanga nā koe
    = the house (that) you are building
te whare e hangā nā e koe
    = the house (that is) being built by you
    = the house (that) you are building

Also note that the passive form of 'hanga' may be 'hangā' or 'hangatia'.

12.6

'That' (meaning 'it was the case that', or expressing awareness 'that' some circumstance or state of affairs exists):

E mohio ana mātou + e rongo ana te Atua i ngā īnoi.
= We know + the Lord is hearing the prayers.
= We know *that* the Lord is hearing the prayers.

Ka kite tāua + kei te mahi tonu ia.
= We see + he is still working.
= We see *that* he is still working.

Ko ia te tangata + i ā ia taku pēke.
= He is the man + he had my purse.
= He is the man *that (who)* had my purse.

Ka mōhio rātou kua kite ia i tetahi ānahera.
= They knew *that* he had seen an angel.

Ka kī mai ia kei Tauranga tōna tuakana.
= He said *that* his brother is at Tauranga.

I whakapono rātou he tangata kino a Hoani.
= They believed *that* Hoani was an evil man.

Ka mōhio rātou i te ora tō rātou pāpā.
= They knew *that* their father was well.

Note the wide range of verb signs, prepositions and other constructions that can be used in the second phrase of each of these sentences.

Confusion in the use of 'which', 'that' and 'who' is the fault of the English language. The Māori has no need of them. From the examples, it will be seen that there can be more than one way to *express* the meaning in English, but we must be sure we are expressing the *right meaning*.

12.7

'That which', 'what':

In Lesson 8 (8.2 and 8.7), we set out the possessives 'tāku' (= 'my'), 'tōna' (= 'his'), 'tāu' (= 'your'), 'tā Rewi' (= 'Rewi's'), etc. Now we join them to a clause construction to get the equivalent of 'that which' as in 'That which (what) I say to you is true'.

He pono *tāku e kōrero nei* ki a koe.
= Is true my saying to you (literally).
= It is true *what I say* to you (*That which I say* to you is true).

He tika *tāu e whakaako ana*.
= Is correct your teaching.
= *That which (what) you are teaching* is correct.

E whakarongo ana rātou ki *tā Rewi e whakamārama ana* ki a rātou.
= They are listening to *that which (what) Rewi is explaining* to them.

He aha *tāu e kimi nei?*
= What your seeking now?
= What is it *that you are seeking* now?

He aha *tā rātou e hiahia ana?*
= What is it *that they desire?* (What do they want?)

12.8

The clauses set out in examples 12.1–12.6 all have a further small development, *used when past or future time* is involved, in which the particle 'ai' is used in place of the particles 'ana', 'nei', 'nā' or 'rā'.

Ko tēnei te hōtēra *e noho ai* koe.
= This is the hotel where you *will stay.*
Ko tēnei te hōtēra *i noho ai* koe.
= This is the hotel where you *stayed.*

In these sentences, 'ai' is used to mean 'thereat', giving a literal meaning of 'will stay thereat you' and 'did stay thereat you'. These forms are explained again separately in Lesson 24, which is entirely about the particle 'ai'.

Some of the points raised in this lesson can be considered to be of an advanced standard. However they must be included in any comprehensive course on Māori, and it is easier to understand their use if they are all set out in one part of the book.

Exercise 12a

1. They went to the place where the post was standing.
2. The horse Hōne is feeding belongs to me.
   The horse that is being fed by Hōne belongs to me.
3. What you are writing is incorrect (hē).
4. He thought that Pita was a good man.
5. We shall go to the village where Pani lives.
6. I have heard that my brother is at Rotorua.
7. What is it that you approve of?
8. The things (that) you are buying are very nice.
9. The tree that (which) you are felling is very big.
10. I know (that) that is my pen.

Exercise 12b

1. I gave my pen to my friend.
2. The dog is running (toward us).
3. Hēnare is the man to whom that shotgun belongs.
4. This butcher's knife (oka) belongs to him.
5. He has (owns) a radio.
6. The girls are letter writing.
7. I was talking to an old lady.
8. They (two) have returned from Auckland.
9. The tools were returned (brought back) by Patuaka.
10. Her children will run to their house.

LESSON 13

Numbers, Money, Time

Numbers

The numbers 1 to 10 are 'kotahi/tahi, rua, toru, whā, rima, ono, whitu, waru, iwa, tekau'; 100 is 'rau'; 1000 is 'mano'.

In usual contexts the numbers two to nine are preceded by 'e', a point that will be noted in the examples.

13.1

A large number is made by linking up hundreds, tens and units. 'Mā' is used between the tens and units to mean 'and'. 'Kotahi' is used for one before a thousand and a hundred where they *start* a number, and 'tahi' is used for one where the number *finishes* with one.

tekau mā whā =	14
e rua tekau mā whitu =	27
kotahi rau e rima tekau mā tahi =	151
e ono mano e waru rau e toru tekau mā iwa =	6839

When counting things off, we say 'ka tahi, ka rua, ka toru', etc.

13.2

Note these two sets of examples: the first parts make statements concerning the number of houses or pigs, the second parts use the number as an adjective helping to describe the houses or pigs.

Tekau mā rima ngā whare i tōku kāinga. = *There are fifteen houses* in my village.
ngā whare tekau mā rima i tōku kāinga = *the fifteen houses* (that are) in my village

E whā ngā poaka e haere mai ana. = *There are four pigs* coming this way.
nga poaka e whā e haere mai ana = *the four pigs* (that are) coming. this way

13.3

When referring to a number of *persons*, from two to nine, the prefix 'toko' should be used. This rule is not always carried out.

Tokotoru ōku tuāhine. = I have three sisters (literally, Three my sisters).
Titiro atu ki ērā kōtiro tokotoru. = Look at those three girls.

13.4

To ask 'How many?' the interrogative 'e hia' is used.

E hia ngā hōtēra i'tēnei tāone? = *How many* hotels (are there) in this town?

13.5

'Tokohia?' is used when enquiring about the number of people.

Tokohia ā kōrua tamariki? = *How many* (are) your children? (How many children have you?)

'Maha' can be used to mean 'many', or can be prefixed with 'toko' when referring to people.

Tokomaha ōna hoa. = He has *many* friends.

'Ruarua' or 'torutoru' can be used to mean 'few'.

13.6

When specifying a particular quantity or number of things, we use 'kia' (= 'let it be').

Hōmai he kapu, *kia* toru. = Give me cups, three. = Please give me three cups.
(For 'hōmai' used like this, see 17.2.)
Kia tekau mā rima mīta te roa o te taura. = Let the length of the rope be 15 metres.

13.7

The prefix 'taki' is used to mean 'in groups of '.

Ka haere *takirua* ngā kararehe.
    = The animals went in twos (two-by-two/in groups of two).

13.8

An ordinal number is one that gives the numerical order of a particular one of several things – 'the first man, the second house, the eleventh hour', etc.

These can be formed in two ways. Firstly, we can place 'te' before the number.

te toru o ērā kāpata = *the third* (one) of those cupboards

13.9

Secondly, the prefix 'tua' can be used with the numbers one to nine to form 'tuatahi', 'tuarua', etc. These can also be used in the adjectival position directly after the noun.

te *tuarua* o ēnei pukapuka = the *second* of these books
Ko ia *te tangata tuarua* i tae atu ki tērā roto.
  = He was *the second man* to reach (who reached) that lake.

13.10 Money

He aha *te utu* o (mō) tōu motukā hōu?
  = What was *the cost* (price) of (for) your new car?
kotahi mano e rua tekau mā waru *tāra*, e rima tekau mā iwa *hēneti*
  = one thousand and twenty-eight *dollars*, fifty-nine *cents*.

13.11 Time

The old Māori calendar had a name for each day of the moon's phases, throughout the year. This was necessary for growing crops, fishing, and catching birds at the right times of the year. The modern method uses transliterations of the months of the Gregorian calendar: Hānuere, Pēpuere, Maehe, Āperira, Mei, Hūne, Hūrae, Ākuhata, Hepetema, Oketopa, Nōema, Tīhema.

te rua o ngā rā o *Tīhema* = the 2nd of *December*
He marama tino makariri a *Hūne.* = *June* is a very cold month.

Note that, if the name of a month is the subject of a sentence, it is preceded by the nominal particle, 'a'. 'Tau' is used for 'year'.

Transliterations are also used for the weekdays: te Mane, te Tūrei, te Wenerei, te Tāite, te Paraire, te Hātarei. Sunday is 'te Rā Tapu' (= 'the Holy Day').

Note that all the days of the week *must* be preceded by the article 'te'.

The old name for Saturday was 'te Rāhoroi', or 'te Rā-horoi-whare', because the house was cleaned on Saturday so that no work needed to be done on Sunday.

13.12

For telling the time in Māori, we have 'taima' (= 'time');
'karaka' (= 'clock' or 'hour'), 'hāora' (= 'hour'); 'meneti' or 'meniti'
(= 'minute'); 'pāhi' or 'pāhitanga' (= 'past'); hāwhe' (= 'half '),
'koata' (= 'quarter').

The way time is expressed varies from person to person, but the
following examples will give a general idea.

He aha te taima? = What is the time?
Kei te waru karaka te taima (Kua waru karaka te taima).
   = It is eight o'clock.
Ko te toru tēnei o ngā hāora o te ata (o te po).
   = It is three in the morning (in the afternoon).
He koata pāhi i te ono karaka te taima.
   = The time is a quarter past six.
e rua tekau meniti ki te tekau mā tahi (ō ngā hāora)
   = twenty minutes to eleven

A range of specific words indicate seasons: 'takirua' (= 'winter'),
'raumati' (= 'summer'); days: 'āpōpō' (= 'tomorrow'),
'inanahi' (= 'yesterday'); parts of the day: 'ahiahi' (= 'evening'),
'ata' (= 'morning'), 'ināianei' (= 'now'), 'i *tērā* wiki/tau' (= ' *last*
week/year').

13.13

To say 'on' some particular day, 'at' some time, or 'in' some season, we use 'i' for past time and 'a' for future time.

I te Mane, ka haere au ki Ākarana. = *On* Monday (last) I went to
  Auckland.
Ā te raumati, ka haere āku tamariki ki tō rāua kuia.
  = In summer (coming) my children will go to their grandmother.

Note that 'nō' can be used as an alternative to 'i'.

13.14   'Mua', 'muri'

Two common time-indicating words are 'mua' (= 'previously/earlier on/before') and 'muri' (= 'afterwards/later on').

I *mua* i te taenga mai o te Pākeha, i hanga te Māori i te whare raupō.
  = *Before* the arrival of the Pākeha, the Māori built raupō whare
  (houses of raupō).
I *muri* i te wehenga o tāna whaiapo ka noho mokemoke ia.
  = *After* her sweetheart departed she lived alone (lonely).

13.15

kia = until (referring to some future event)

E tatari ana mātau *kia* tae mai ō mātou hoa.
  = We are waiting *until* our friends arrive.

13.16

ina = when (referring to some future occasion)

E hoa, kia mahara koe ki ahau *ina* haere atu koe ki Ingarangi.
  = Friend, remember me *when* you go to England.

(For the 'kia' used in this sentence, see Lesson 17, on imperatives.)

Exercise 13a

1. How many friends do you have?
2. There are twelve sheep in that paddock.
3. December is a hot month.
4. one thousand nine hundred and seventy-four
5. Please give me two pencils.
6. How much were (what was the cost of) your shoes?
7. the fourth man
8. The children will sit in threes.
9. the 25th of April

10. five hundred and forty-eight dollars, twenty-six cents
11. on Sunday (next)
    on Wednesday (last)
12. It is (the time is) seven a.m.

Exercise 13b

1. These pipis are for (will serve as) food for the children.
2. These are the shoes for them.
3. I talked to her; she listened to me.
4. Paki is the man who called to us.
5. He is sitting at the side of the road.
6. These letters are for you.
7. The men helping the children are my friends.
8. The birds flying over there are pigeons.
9. I was working this morning.
10. They know me.

LESSON 14

Local Nouns, Complex Prepositions

Local nouns

This term is used for nouns that specify some location, place, or situation. The most common ones are set out below:

roto = inside (the inside)
raro = beneath/under
waenganui = middle/midst
muri = the rear of/behind/after
reira = there/that place mentioned before/that time mentioned before
tua = behind (some object, such as a house or rock)
tata = close by
tawhiti = the distance
waho = outside (the outside)
runga = top/uppermost/above
mua = the front of/in front of/before (at an earlier time)
konei = here
konā = there, by you
korā = yonder
tāwāhi = across/the other side of (sea/river/valley)
tātahi = seaside/coast
uta = the shore (approached from the sea)/inland (from the shore)
tai = the sea (from the land)

14.1

The main thing to observe about local nouns is that, unlike ordinary nouns, they are *not* preceded by an article ('te', 'nga', etc.).

Haere mai ki *roto*. = Come *inside*.

Kei *waho* a Tame e horoi ana i te motukā.

 = Tame is *outside* washing the car.

Ka haere māua ki *waho* o tēnei whare.

 = We are going *outside* (to the outside of) this house. Note: not '*te* waho'.

Kei *tātahi* rātou.

 = They are at (the) *seaside*.

Ko Te Puke tōna kāinga tipu; ka hoki ia ki *reira*.

 = Te Puke is the place where he grew up; he will go back *there*.

Mauria mai ērā pukapuka ki *konei*.

 = Bring those books *here*. (For 'mauria', see Lesson 17.)

E kauhoe ana tērā kōtiro ki *tāwāhi* o te roto.

 = That girl is swimming to (the) *other side of* the lake.

Nā, i *reira* tetahi tangata, ko Haimona tōna ingoa.

 = Well then, a certain man was *there*, named Haimona.

I *tata* tonu tō rāua whare ki te whare karakia.

 = Their house was quite *close (near)* to the church.

Kei *roto* a Hine i tōna ruma, e moe ana.

 = Hine is *in* her room, sleeping.

In sentences like the last one, in which the subject's location and some action they are carrying out are both mentioned, it is common to refer to the location first and then to the action.

14.2

When a local noun, *or an actual place-name*, is the subject of a sentence, it is preceded by the nominal particle 'a'.

He makariri *a* waho. = It is cold outside.

He awa roa *a* Waikato. = Waikato is a long river.

He tāone tino pai *a* Rotorua. = Rotorua is a very nice town.

Complex prepositions

The complex prepositions are simply the equivalents of 'inside/in', 'upon/on', 'under', and 'between'. They are formed by linking one of the local nouns just mentioned ('roto', 'runga', 'raro', etc.) with the prepositions 'kei' and 'i', which indicate 'at', present and past time respectively.

kei roto i = *is* in   *i* roto i = *was* in

They are referred to as 'complex' prepositions only because they are made up of three 'words', not just one. They are not hard to learn and are very useful.

14.3

First, they are used to make a direct statement about where a person or thing is located.

Kei roto i te whare ngā tamariki. = The children *are in* the house
   (literally, At inside the house the children).
I runga i te tēpu ngā kapu. = The cups *were on* the table.
I runga ngā kapu *i* te tēpu. = The cups *were on* the table.
Kei raro a Tama i te mōenga. = Tama *is under* the bed.
I waenganui ngā whare *i* (ō) ngā rākau.
   = The houses *were in the middle of* the trees.

Note from the second and third sentences that two word orders are permitted, giving exactly the same meaning. The form should be chosen that gives the most space directly after the person or thing we wish to describe most. This gives the sentence a better rhythm.

14.4

Kei roto ngā kōtiro *i* te whare o tō rātou hoa.
   = The girls are in their friend's house.
Kei roto i te whare ngā kōtiro i waiata ki ngā manuhiri.
   = The girls who sang to the guests are in the house.

14.5

Here is an example of multiple use:

Kei raro ngā wētā *i* ngā kōhatu *i* ngā poro rākau.
   = The wetas are *under* stones and (under) logs.

14.6

When 'in', 'on', etc. are used *to describe* a person or thing by stating where they are, the complex preposition is placed in the adjectival position directly following the person or thing described.

   Note that for this purpose the forms *'i* roto i' and *'i* runga i' are used (not ' *kei* roto i').

ngā kapu *i runga i* te tēpu = the cups *on* the table
ngā mea *i roto i* te pouaka *i raro i* tōna mōenga
   = the things *in* the box *under* his bed
te ara *i waenganui i* ngā whare ki te puna *i waenganui i* ngā rākau
   = the path *between* the houses to the spring *in the midst of* the trees

Note that in different context these sentences could translate as past time: 'the cups that *were* on the table', etc.

14.7

To make a statement about *what* is now, or exists, in some location, '*kei roto (runga) i*' is used in this way:

He kotiro *kei roto i* te kihini. = There is a girl in the kitchen
  (There are girls in the kitchen/Girls *are in* the kitchen).
Ko ngā pukapuka hou *kei runga i* te tēpu.
  = (It is) the new books (that) *are on* the table.

14.8

The following construction is used to indicate *where* some action took place.

i ā ia e whakaako ana *i* roto i te temepera...
  = while he was teaching *in* the temple...

14.9

In appropriate contexts, '*i* roto i' means '*from* in'.

Ka mea a Īhu ki te wairua poke, 'Puta mai *i* roto i ā ia.'
  = Jesus said to the evil spirit, 'Come out *from inside* him.'

14.10

'Ki' and 'mō' are commonly used to give the following meanings:

ki roto ki = into   *mō* runga mo = for above/on

Ka tomo rātou *ki roto ki* te whare rūnanga.
  = They went *into* the meeting house.
Ko ēnei ngā putiputi *mō runga mō* te ātāmira.
  = These are the flowers *for on* the stage.

It is usual for the second preposition to be a repetition of the first, but in a particular sentence 'i' or 'o' may be seen.

14.11

The local nouns 'mua' and 'muri' are also used in complex prepositions.

Ka haere ia *i mua i* a rātou. = He went *before* (ahead of/in front of) them.
Ka aru rātou *i muri i ā ia*.
  = They followed *after* (behind/in the rear of) him.

14.12

whaka = towards

'Mua' and 'muri' are often prefixed by 'whaka' to form words indicating direction. This also applies to 'runga' and 'raro':

whakamua = forward/ahead/to the front
whakarunga = upwards/upstream
whakamuri = backward/reverse/to the rear
whakararo = downwards/downstream

14.13

'Runga' has a few subsidiary meanings:

Meatia tēnei mahi *i runga i* tōku ingoa.
   = Do this work *in* (in association with) my name.
Ka whai kōrero ngā koroheke *i runga i* te tikanga Māori.
   = The elders made speeches *in* (in accord with) Māori custom.

It is also used in the following expressions:

mā runga hōiho = on horseback   mā runga motukā = by car

'Mā raro' means 'on foot'.

Exercise 14a

1. The inside is dirty (It's dirty inside).
2. My dog is here.
3. They climbed on top (to the top).
4. Go forward!
5. The workmen are on the truck.
6. The cat was under the table.
7. Mokoia is a well-known (famous) island.
8. Come to shore!
9. The mutton-bird ran into the hole.
10. What is the food in that pot?
11. Look to the rear!
12. They came by bus.
13. There are books in this cupboard.
14. He is going behind (to the back or rear of) the house.
15. The money is in the cupboards and drawers.

Exercise 14b

1. You had better go again to his house.
2. These are the utensils with which to cook (for cooking) the vegetables.

3. This is the story about Te Rauparaha.
4. He has shoes. I have a hat.
5. Look at that boat of his.
6. I will climb up to that branch.
7. Jim had better go to fetch them.
8. My wife has returned from Ōpōtiki.
9. I shall return your axe.
10. The time is five o'clock.

LESSON 15

The Agent Emphatic

This is an important feature of Māori. In the sentences 'Hēnare helped the girl' and 'The dog ate the food', we can give each sentence two shades of meaning by putting spoken stress on different words. We can say 'Hēnare *helped* the girl' and mean that he did not speak to her or kiss her; or we can say '*Hēnare* helped the girl' and mean that Hēnare and not someone else helped the girl. Similarly, we can say 'The dog *ate* the food' or '*The dog* ate the food'.

In other words, the *action* can be stressed (hit/ate), or the *person or thing* that is the cause of the action can be stressed (Hēnare/the dog). The person or thing that causes an action is called the 'agent'.

In Māori two quite *different constructions* are used to convey these meanings. Action is stressed by using the passive form (see Lesson 4), so that 'Ka kainga ngā mīti e te kurī' would be used to say 'The dog *ate* the meat'. To stress the agent, a special construction, the 'agent emphatic', is used.

In a sentence concerning past time, place 'nā' just before the agent and 'i' just before the verb.

In a sentence concerning future time, place 'mā' just before the agent and 'e' just before the verb.

15.1

In these examples 'nā' and 'mā' indicate 'by the action of '.

Nā Hēnare te kōtiro i āwhina. = *Hēnare* helped the girl.
Mā tōu whaea koe e āwhina. = *Your mother* will help you.
Mā Haera ngā pereti e horoi. = *Hera* will wash the plates.
Nā ōku hoa te hīmene i waiata. = *My friends* sang the hymn.
Nā tērā kurī ā māua kai i tāhae. = *That dog* stole our food.
Mā rāua te waka e whakairo. = *They* will carve the canoe.
Nā tērā kōtiro, nā Hine ngā tamariki i ako.
    = The children were taught *by that girl, Hine* (That girl, Hine, taught the children).

Nā te kurī ngā mīti *i* kai. = *The dog* ate the meat.
Mā Hēnare te kōtiro *e* āwhine. = *Hēnare* will help the girl.
Mā te kurī ngā mīti *e* kai. = *The dog* will eat the meat.

In English we could choose to say 'It was Hēnare who helped the girl' and 'It was the dog that ate the meat', etc.

15.2

As well as directly stating the thing or person that carried out a particular action (the children, Hēnare, etc.) all the 'a' forms set out in 9.3 and 9.7 ('nā rātou', 'nāna', 'nāku', 'mā rātou', 'māna', 'māku', etc.) can be used as shown here.

Nā rātou ngā pāua *i* kohi. = *They* gathered the paua.
Nāku nga reta i tiki. = *I* fetched the mail.
Māku ngā tekoteko *e* whakairo *e* hoko atu.
   = *I* shall carve and sell the tekoteko.
Nāna ērā tukutuku *i* mahi *i* whakapaipai.
   = *It was she* who has made and decorated those tukutuku.

Study the last two examples carefully. The preposition 'i' or 'e' is repeated for each separate action mentioned. The word 'and' is used in the English equivalent.

15.3

Note that in a short sentence, without extra description added to the agent or the object acted upon, two sentence orders are permissible but 'nā/mā' is always just before the agent and 'i/e' is always just before the verb.

Mā Hera ngā heihei e whāngai.   Mā Hera e whāngai ngā heihei.
   = Hera will feed the hens.

Nāku tēnā hoiho i pupuri.   Nāku i pupuri tēnā hōiho.
   = I held that horse.

15.4

The 'agent' need not be a 'living' thing.

Nā te ua ō tātou kākahu *i* whakamāku.
   = *It was the rain* that wet our clothes.
Mā tōu atawhai ōu hoa katoa *e* whakakaha.
   = Your kindness will strengthen all your friends (By your kindness/encouragement all your friends will be strengthened).

Further sentences of this type will be found in Lesson 24 on the particle 'ai'.

15.5

We have already had several ways in which 'who' can be expressed (see Lesson 6). The form we are considering now is an agent emphatic construction that *describes* a person or persons by reference to *what they have done or will do.*

nāna = *who did* something/*who has* performed some action
māna = *who will do* something/*who will* perform some action

Ko ia te tangata *nāna* te poaka *i* pupuhi.
  = He is the man *who* shot the pig *(by whom* the pig was shot).
Ko ia te tangata *māna* te poaka *e* pupuhi.
  = He is the man *who will* shoot the pig.

Ko rātou ngā kaimahi nā ratou tōku whare *i* hanga.
  = They are the workmen *who* built my house.

Ko Hera raua ko Jill nga wāhine mā raua nga tepu e whakatika.
  = Hera and Jill are the women who will set the tables.

15.6

Note that confusion can arise because the 'a' forms of the possessives 'mā/mō', meaning 'for' (9.7) and 'nā/nō' meaning 'belonging to' (9.3) are the same as those used in the agent emphatic constructions. Context must be considered, but 'e' or 'i' may appear further on in the sentence, completing and confirming the agent emphatic pattern.

Nā Mere tēnei pukapuka. = This book belongs to Mere.
Nā Mere tēnei pukapuka i tuhituhi.
   = It was Mere who wrote this book (Mere wrote this book).
   (Nā Mere tēnei pukapuka. = This book was by Mere.)
Mā Mere tēnei pukapuka. = This book is for Mere.
Mā Mere tēnei pukapuka e tuhituhi.
   = Mere will write this book.
Ko Mere te wahine nāna tēnei pukapuka.
   = Mere is the woman to whom this book belongs.
Ko Mere te wahine nāna tēnei pukapuka i tuhituhi.
   = Mere is the woman who wrote this book (by whom this book was
     written).

Final points: Use only verbs in active form – no passive endings. The 'o' forms ('mō Mere', 'mōku', 'mōna', 'mō rātou', etc.) indicate possession or ownership and are *not* used in agent emphatic constructions – only the 'a' forms.

15.7 Interrogative form

An interrogative form is based on the agent emphatic.

Nā wai ngā rūma *i* tahitahi? = Who swept the rooms?
Mā wai ngā tamariki *e* tiki? = Who will fetch the children?
Nā te aha ēnei kāpeti *i* kai? = What has eaten these cabbages?
Nā te aha koe *i* wehe atu *ai?*
   = What causes you to depart? (Why are you leaving?) (See 24.7.)
Nā wai koe *i* ako ki te kōrero pukapuka? = Who taught you to read?
   (By whom were you taught to read?)

Exercise 15a

1. The kind man will feed the birds.
2. You will buy their new clothes.
3. It was he who wrote the letters.
4. I sold the food.
5. Rōpata will help Tai.
6. He is the man who struck the child.
7. Moses was the prophet who wrote the laws.
8. They will build the houses.
9. Te Rangi Hiroa and Sir Apirana wrote fine books about the Māori.
10. It was the warriors of Hongi who cleared this track.
11. Paki and others are the men who will shoot the pigs.
12. The apples belong to Mere. Mere ate the apples.

Exercise 15b

1. She will compete against Ruia.
2. My friend was helping an old lady.
3. the second of those houses
4. Give me five eggs.
5. All the oranges have been eaten by you.
6. He is the man who came back from town.
7. This is the house where Hine is staying.
8. Who are the children who are feeding the horse?
9. The pen was in my purse.
10. Winihana has the money.

LESSON 16

Comparisons, Degrees, Intensives

We often need to describe the degree of some attribute or condition ('He is *very* good', 'That is *very* long *indeed'*) or to make comparisons ('This is *bigger than* that', 'Yours is *better than* mine', etc.)

16.1

'Tino' (= 'very') is used a lot and is always placed before the adjective.

He *tino pai* tāu mahi. = Your work is *very good*.
He *tino nui* tērā whare. = That house (building) is *very large*.

'Tino' is also used to add force to an adverb (see 23.2).

Tino tere te whatu a ngā wāhine i ngā kete kūmera.
 = The women *very quickly* plaited the kumera baskets.

16.2

'Āhua' (= 'somewhat') is useful to know. It also *precedes* the adjective.

He *āhua mate* ia. = He is *somewhat ill* (He is a bit sick).

16.3

'Rawa' is another word that can be used to mean 'very'. Used together with 'tino', it forms the superlative 'very...indeed'.

He *pai rawa* tāna mahi. = His work is *very good* (excellent).
He *tino pai rawa* tōu kākahu (He *tino pai rawa atu* tōu kākahu).
 = Your coat is *very fine indeed*.

The article 'he' is sometimes dropped to give a more exclamatory effect: 'Pai rawa tēnā!' or 'Tino pai rawa!' (= 'That's very good!')

16.4

Where it is appropriate, the meaning of 'rawa' can change from 'very' to 'too'.

He *hōhonu rawa* te wai. = The water is *very deep.*
He *hōhonu rawa* te wai *mō ngā tamariki.*
  = The water is *too deep for the children.*

16.5

To compare one thing with another, 'atu' implies a greater degree and 'iho' implies a lesser degree. 'Than' is supplied by the preposition 'i'.

He *pai atu* tēnei *i* tēnā. = This is *better than* that.
He *roa atu* tēnā rākau *i* tēnei. = That stick is *longer than* this.
He *kino iho* tēnei marama *i* te marama o Hūrae.
  = This month is *worse than* the month of July.
He *ataahua atu* tērā kotiro *i* te tamāhine a Hine.
  = That girl is more beautiful than Hine's daughter.
He *mōhio atu* ia *i* a Rewi. = She is *more knowledgeable than* Rewi.
He *kaha atu* koe *i* ahau. = You are *stronger than* me.

16.6

'Kē atu' gives the meaning of 'on the other hand'.

He nui *kē atu* tēnei i tēnā. = This, *on the other hand*, is bigger than that.

16.7

atu = other

Nā *tetahi atu* wahine tēnā kete. = That basket belongs to *another* woman.
Hōatu ēnei rare ki *etahi atu* tamariki.
  = Give these lollies to *some other* children.

16.8 'Like', 'the same as', 'equal to', 'just like'

There are three commonly used ways to express sameness: 'rite' or 'rite anō'; 'anō'; and the words 'pēnei' (= 'like this here'), 'pēnā' (= 'like that there') and 'pērā' (= 'like that over yonder'). We also see 'he pēnei...me' and 'he pēnei anō...me'.

He *pēnā* tōku pōtae. = My hat is *like that.*
He *rite* tāku kurī ki tērā. = My dog is *the same as* that.
Kia *rite anō* ki tō te Rangi. = Let it be just like (the condition of) heaven.

For 'kia', see Chapter 17, on imperatives; also note that 'ki' is used rather than 'i'.

he haruru nui no te rangi *anō* he hau nui

    = a great roaring noise from the sky, *like* a great wind

He kaiwhakaako ia, he *pēnei anō me* ahau.

    = He is a teacher, *just the same as* me.

16.9 Intensives

Four words, 'anō', 'hoki', 'rā', and 'tonu' are used as 'intensives' (stress words) – they emphasise, affirm or assert some point (this is notwithstanding any other meanings they may have). These words embellish the meaning, and the most suitable of the various English equivalents should be selected when translating.

He āporo tēnā? Āe, he āporo *anō*.

    = Is that an apple? Yes, it is *indeed* an apple.

Me mahi *hoki* rātou.

    = They should *certainly* work. (For 'me', a verb sign, see 3.6.)

I taua rā *anō* ka haere rāua.

    = On that *exact* (precise) day they set off (On that *very* day they set off).

I mea *rā hoki* a Mohi, 'Mā te Ariki e whakaara ake he poropiti mō koutou.

    = Moses *most definitely* said, 'The Lord will raise up a prophet for you.'

ka tika *tonu* = *quite* correct/precisely/exactly

16.10

The word 'koia' may be used to make a stronger assertion: 'Koia tēnā!' (= 'That is so!'). The form 'koia nei' is commonly used. In some cases 'koia' is split into 'ko...ia'.

Koia tāku kupu tēnei ki a koutou.
    = This *then (indeed)* is what I have to say to you.
Ko Haora *ia* tomo ana ia ki tēnā whare ki tēnā whare.
    = *As for* Saul he entered each house. (For 'each', see 19.22.)

16.11

'Noa' means without restraint or qualification whatever (it is also the opposite state to 'tapu', meaning 'under ceremonial restriction').

te aroha noa o te Atua = the boundless love of the Lord

16.12

'Noa iho' implies 'just that', 'nothing more' or 'that's all'.

Ka *haere noa iho* ia. = He *just wandered along (around)*.
He *pai noa iho* ā rātou kai. = Their food was *good enough (quite all right)*.
E rua haora *noa iho* kei te toe.
    = *Just* two hours remain (*Only* two hours are left).

16.13

'Anō' or 'ake' can be used to mean 'self' or 'own'.

ko ahau *ake* = I *myself*
ko āku tamariki *anō;* ko āku *ake* tamariki/ko āku tamariki *ake*
    = my own children

Exercise 16a

1. My younger brother is a bit lazy.
2. These kūmera are excellent.
3. My room, on the other hand, is better than his (room).
4. This lake is too cold for swimming.
5. My house is very big.
6. Their father is (was) very strong.
7. I will return to my own house.
8. Your friend is indeed a thief.
9. They did nothing but lament.
10. Rikihana is indeed the senior man (elder).
11. My work is just like your work. My work is like that.

Exercise 16b

1. These are the apples for the children.
2. These letters are for him.
3. Fetch those things of theirs.
4. I have a new watch.
5. She has my pen (with her).
6. Henare was piano playing.
7. It is warm inside.
8. My sister will wash my shirt.
9. Tomorrow we shall know where Hine is.
10. The dog was found by my friend.

LESSON 17

Imperatives

We are using the imperative mood when we give orders or directions, when we urge someone to do something, or caution them in some way.

17.1

The most abrupt form of order is the use of the active form of the verb, without any verb signs.

Haere! = Go!   Oma! = Run!   Karanga! = Call!

17.2

The adverbs of direction 'mai' and 'atu' are very commonly used with this form.

Whakarongo mai! = Listen (to me)!
Hōmai! = Give (it) to me!
Titiro atu! = Look (over there)!
Hōatu! = Give (it) away!

There is no precise word for 'please' (short for 'if you please') in Maori, but as with all other languages the tone of voice and a person's expression make a clear difference between an order and a request.

We can say 'Hōmai koa te pata' (= 'Please give me the butter' – literally, 'Give me gladly the butter').

17.3

Next we have the passive form of the verb, also without any verb sign. This is used when we order some person or thing to be *acted upon* by the person we are speaking to.

Patua! = Hit (it)! (literally, Be hit it!; 'by you' is implied).
Karangatia! = Call (him, them, etc.)!
Waiatatia ēnei kupu. = Sing these words.

Kimihia tāku pukapuka. = Look for my book.
Tikina (mai/atu) he māti. = Fetch some matches.
Āwhinatia a Mere.
   = Help Mere (literally, Be helped Mere; 'by you' is implied).

Note that 'a' is the nominal particle, used before 'Mere' because she is the subject of the sentence.

Arumia ahau! = Follow me!

Note from the first two sentences that *direct* reference to the subject is not always required; it can be supplied by the context.

17.4   'E', the particle of 'command' or 'address'

This particle is used in two circumstances:

(a)   When a verb of two syllables or less is used as a command, as in this example:

E tū! = Stand up!
E oma! = Run!
E hoe! Hoea te waka! = Paddle! Paddle the canoe!

17.5

(b)   When addressing a person whose name is of two syllables or less:

E Rewi! = Rewi!
E hoa! = Friend!
E Tui! = Tui!
E pā! = Sir!

A person with a long name might be addressed with the full name or with a short contraction preceded by 'E': 'Te Rauparaha! E Rau!' Where 'te' is not an actual part of a person's name, as it is above, but is used only because a noun must be preceded by an article or definitive, 'e' is used, as with 'E te Ariki' (= 'O Lord'), 'E te kaiwhakaako' (= 'Teacher/O teacher'). Similarly: 'E tō mātou matua' (= 'Our father'); 'E tāku tama' (= 'My son'). To sum up:

Hēnare! E Wī! Haere mai! Mauria mai te kāheru.
   = Hēnare! Wi! Come here! Bring the spade.

17.6

When we are exhorting or encouraging someone to show certain qualities, we use 'kia' before an adjective.

Kia toa! = Be brave!
Kia manawanui! = Be patient!
Kia aroha ki ōu hoa whawhai! = Be loving to your enemies!

Kia pai! = Be good!
Kia tere! = Be quick!

17.8

'Kia' is also used less forcefully to mean 'let' or 'let it be'.

Kia tapu tōu ingoa. = Let your name be holy.
Kia kite ahau i tētahi pene. = Let me see a coin.
Kia aroha ki a māua. = Cherish us.
Kia meatia tēnei mahi pai. = Let this good work be carried out (done).

Sentences of the type *'Tukua* mātou *kia* haere' (= *'Allow* us *to* go')
are dealt with in the next lesson, on the subjunctive 'kia'.

17.9

A cautioning word is 'kei' (= 'lest/in case'). It is used directly before a
verb, so it must not be confused with the preposition 'kei' shown in
Lesson 7.

Kia tūpato *kei* hinga koe! = Be careful *lest* you fall!

In English idiom, 'Kei hinga koe!' could be translated as 'Don't fall!'

Ka huna te tama *kei* kitea (ia) e te tangata.
  = The boy hid *in case* he was seen (found) by the man
  (The boy hid *lest* he be seen (found) by the man).

17.10

Kāti = Stop/cease that activity!

Kāti te pākiwaha! = Stop boasting!
Kāti! = That's enough!
Kāti te kai! = Stop eating!

Note 'te', used before the verb (see 20.1).

17.11 'Do not (verb)'

To order someone *not* to carry out a particular action, the negative form
'kaua e (verb)' is used.

Kaua e haere! = Don't go!
Kaua e moe! = Don't sleep!
Kaua e kainga ēnā pipi. = Don't eat those pipis.

Note that if an action is to be delayed or carried out at a later time 'taihoa'
(= 'wait on') is used.

Taihoa te haere! = Don't go *yet!*

17.12 'Me' (verb sign)

Finally we have a mild imperative formed by using the verb sign 'me', which precedes the verb.

Me haere koe. = You had better go (You must go).
Me moe tātou. = We had best go to sleep (We must sleep).

17.13

Verbs that are used after the sign 'me' are slightly irregular in this way: the *active form* of the verb is always used, never the passive, even though the meaning and sense of the sentence may be passive.

Me pānui e te minita tetahi o ngā īnoi.
    = One of the prayers must (will be) read out by the minister.

Note that we use 'pānui' rather than 'panuitia'.

Me aha a Ihu e rātou? = What should be done to Jesus by them?

(Note that 'aha' is used rather than 'ahatia'; see the section on interrogatives.)

Me hopu e koe ngā hōiho. = You should (had best) catch the horses.

Exercise 17a

1. Hine!
2. Bring (it) here!
3. Be strong!
4. Stop talking!
5. This letter had best be written by my mother.
6. You must (had better) go into that room.
7. Come here!
8. Shoot! Shoot (it/him)!
9. O people (tribe)!
10. Sit!
11. lest your hearts be sad
12. What should be done to those prisoners?
13. Let the judge be sympathetic to us!
14. Do not come here!

Exercise 17b

1. John, Pat and Mona
2. The time is a quarter past three.
3. Your book was on the small table.
4. This stick is longer than that.
5. I have written a letter to my mother.
6. She loves him.
7. That child is eating a banana.
8. All the girls are coming (this way/towards us).
9. This (these) corn will serve as food for the hens.
10. Hera is the woman who fed the children.

LESSON 18

The Subjunctive 'kia', the Verb Signs 'ana' and 'e'

The subjunctive 'kia'

This 'kia' is placed just before the verb, and gives the meaning 'that...should', 'that...might', 'that...may' or 'to'. It is a very important word and is used to express a wish for a particular condition or state of affairs to be brought about, either by circumstances or, quite often, by influencing *some other person* to act in a particular way.

18.1

First we see it used as a request or entreaty for someone to *permit* or 'let' something take place.

Kia tae mai tōu rangatiratanga. *Kia* tapu tōu ingoa.
   = *Let* your kingdom come. *Let* your name be holy.
Tukua mātou *kia* hoki ki ō mātou kāinga.
   = *Permit* (allow) us *to* return to our homes.

18.2

Next we see it used to express a strong opinion or wish that someone take a certain action.

Ka hiahia ia *kia noho* ōna hoa. = He wished *that* his friends *would stay*
   (He wished/wanted his friends *to stay*).
Ka tono a Māui *kia haere atu* rātou. = Māui ordered *that* they *should go*
   (Māui ordered them *to go*).

18.3

Note the commonly used alternative *English* version (in brackets) can lead to some confusion, because 'to (do something)' is usually rendered in

Māori as 'ki te...'. 'Kia' is used where one person expresses the wish that some state of affairs be brought about by the actions of someone else.

Kei te hiahia au *ki te* noho. = I wish *to* stay.
Kei te hiahia au *kia* noho rātou. = I wish them *to* stay
  (I wish *that* they *might* stay).

18.4

We most commonly see 'kia' used in conjunction with these verbs: 'tuku' (= 'to permit/to allow/to release'); 'tono' (= 'to demand/to order/to invite'); 'kī' (= 'to say/give a point of view'); 'mea' (= 'to tell'); 'tūmanako' (= 'to hope'); 'whakahua' (= 'to command'); 'whakaae' (= 'to agree/to consent'); 'pīrangi' (= 'to desire'); 'pai' (= 'willing/agreeable'); 'whakatau' (= 'to decide'); 'whakatū' (= 'to propose/to suggest').

Ka mea atu ia *kia kai* rātou. = He told them *to eat*
  (He told them *that* they *should eat*).
E pai ana koe *kia haere* au hei hoa mōu?
  = Are you willing for me *to go* as (a) companion for you?
Ka tono te kuia *kia inumia* te waina e te tūroro.
  = The old lady directed that the wine *should be drunk* by the invalid.
I whakaae ahau *kia āwhina* tāua i a ia. = I agreed *that* we *should help* him.
Karangatia rātou *kia haere mai.* = Call (summon) them *to come.*
Ka nui o rātou reo e tono ana *kia patua* ia.
  = Their voices were great (loud) demanding *that* he *(should) be killed.*
Kua takoto te tikanga *kia tukua atu* tetahi tangata herehere ki a rātou i te hākari. = The custom had been established *that* one prisoner *should be released* to them at the feast.

Ko tōku tumanako tēnei, *kia hoki ora* koe ki tō whaea.
= This is my hope, *that* you *should return safely* to your mother.

18.5

An interesting variant is that 'to perform some action' is usually phrased as 'ki te...', but if the action in question is 'kite' (= 'to see') then 'kia' is often used rather than 'kite'. This must be 'reka' ('sweet') to the Māori ear.

Ka haere ahau *ki te* āwhina i ā ia. = I shall go *to* help him.
Ka haere ahau *kia* kite i a ia. = I shall go *to* see him.

This lesson has covered the principle use of 'kia'. However, there are other uses that are shown in the lessons on imperatives (17), numbers and time (13), the particle 'ai' (24), and negatives (25). Check these now, particularly 'kia...ai' (Lesson 24).

Utaina ngā mea katoa *kia* reri *ai* te taraka ki te haere āpōpō.
= Load all the things *so that (in order that)* the truck will be ready to go tomorrow.

18.6   The verb signs 'ana' and 'e'

There are two remaining verb signs that have not been mentioned in earlier lessons, to reduce confusion. They are not used as often as the other verb signs.
   The word 'ana' denotes past time, used in narration or stories. It is placed directly *after* the verb.

Kawea *ana* ia ki roto ki te whare o te tohunga.
= He was carried into the house of the priest.

A variation of this is 'ka (verb) ana', used with certain dialects to give a verb a similar tense.

18.7

'E' denotes future time. It is placed directly *before* the verb.

E aru kōrua i ā ia ki tōna whare. = You will follow him to his house.

Sometimes a variation is used to give a more definite statement.

Tērā kōrua *e* aru i ā ia ki tōna whare. = You will follow him to his house.

Both 'ana' and 'e' set the time of the events recounted, rather than sudden changes of action, for which 'ka' is used. 'Ka' is by far the most frequently used verb sign.

Exercise 18a

1. I am willing that you should sing to my friends.
2. He agreed that the food should be bought.
3. I am hoping we may return to Maketū tomorrow.
4. She will work tomorrow.
5. He was permitted by them to depart.
6. His children sat in front of his house (verb sign: 'ana').
7. You two had better go to see your mother.
8. I wish to eat.

Exercise 18b

1. your father's car
2. At night they went to a (the) dance.
3. While he was working his friend slept.
4. I returned your knife.
5. My elder brothers were at Maketū.
6. He has (owns) a big house.
7. Call your mother!
8. I shall go again to the shop.
9. The apple you are eating (there) is very big.
10. These cups belong to them.

LESSON 19

Miscellaneous Words and Phrases

Each lesson so far has explained one or two specific points of grammar. To give clear examples, care has been taken that no sentence contains any construction that has not already been seen in earlier lessons.

However, in actual use a language displays many idiomatic words and phrases that are not always easy to define but help to give the language its character. To include this type of word or phrase while explaining a particular 'part of speech' might have been distracting.

One or other of the examples that follow will be found in almost any piece of Māori literature and be used in almost any conversation.

19.1 Greetings

The usual greetings in Māori are 'Tēnā koe', 'Tēnā kōrua', 'Tēnā koutou', or 'Tēnā koutou katoa', according to whether one, two or several people are addressed.

Kia ora. = Good day (literally, Be well).
  ('Kia ora' can be used as a rejoinder to 'Tēnā koe').
Mōrena. = Good morning (a transliteration).
Haere mai. = Welcome (literally, Come hither/Come to us).
Kei te pēhea koe? = How are you? (literally, What condition are you in?)
Kei te pai. = I am fine.
E pa/E koro. = Sir (respectful form of address to older or senior man).
E kui. = Ma'am/Lady (address to older lady or grandmother).
E whaea. = address to an adult lady
E hoa/E hoa mā. = Friend/Friends (used to one's friends or workmates).
E tama. = Young man (used to a youth or boy).
E hine. = Miss (address to a young lady or girl).
E kare. = address to girl such as daughter or niece
Haere rā. = Goodbye (Off you go now).
E noho rā/Hei konei. = Goodbye (I leave you now).

19.2 Exclamations

Kātahi te pōturi o te pahi! = *How slow* the bus is!
Kātahi te tamaiti paru! = *What* a dirty child!
Te ataahua o tērā kōtiro! = *What a beautiful* girl!
  (*How beautiful* that girl is!/literally, *The beauty* of that girl!)
Te hōhā o te mahi nei! = *Oh the boredom* of this job!
E kī! = You don't say!
Taihoa! = Hold on! (Wait a bit!)
Kaitoa! = Serves (him) right!
Hā = What's this!
  ('Ehara!' is also an exclamation of surprise, seen in the classics.)
Hei aha! Hei aha! = Never mind! What does it matter!
Aue! = Alas!/Oh dear!
Anei! = (It's) here!
Anā! = There (by you)!
Arā! = (He's) over there!

19.3 Descriptive details

(a)   Earlier on we saw that when something is described by two adjectives the form 'he mea' can be used: 'he tangata pai, he mea tika' (= 'a good (and) upright man'). This 'he mea' (= 'a thing') can also be placed *before a verb* to put additional description into a particular statement.

I taua pō e moe ana a Pita i waenganui ō ngā hōia tokorua, *he mea here* ki ngā mekameka e rua. = That night Pita was sleeping between two soldiers *secured* with two chains. (For 'ki' meaning 'with', see 7.18.)
Ko wai tēnei tangata i tukua atu, *he mea rīpeka* nā te ringa ō ngā tāngata kino? = Who was this man who was handed over, *crucified* by the hand(s) of evil men?
Ko ōna whakaaro ēnei, *he mea huna* i ngā tāngata katoa.
  = These were her thoughts, *hidden* from all the people ('i' = 'from' – see 7.14).

(b)   A verb may also be preceded by 'he' to form a phrase describing the activity someone is engaged in.

Ko tāna mahi *he tiaki* i ngā hōiho ō ngā āpiha.
  = His job *is taking care* of the officers' horses.

Or this word order may be used:

He miraka kau tā rāua mahi. = *Milking cows* is their job.

(c)   Here is another idiomatic way of describing something:

Ka kitea e rātou tēnei kurī *he tino paru te āhua*.
  = They found this dog *of very dirty appearance* (this *dirty-looking* dog).

(d)   Note these two forms giving virtually the same meaning:

He mea kohete a Hine e te māhita.
I kohetetia a Hine e te māhita. = Hine was scolded by the teacher.

(e)   Occupation or status is sometimes linked directly with a person's name.

Meri whaea o Hēmi = Meri (the) mother of Hēmi
Haimona kaimahi hiako = Haimona (the) leather worker
Anania tohunga nui = Anania (the) chief priest

19.4

In a compound expression, '...ā...' means 'of '/ 'in the manner of '.

mahi-ā-ringa = handcrafts
te kura-ā-tuhi = the correspondence school
mate-ā-moa = dead as the moa (extinct)
waiata-ā-ringa = action songs

19.5

Doubling part of an *adjective* can have either a lessening or increasing effect on the force of the adjective. It varies with local idiomatic usage. '*Ki*kino' may mean 'naughty'; '*pa*pai' may mean 'nice' or 'well behaved'. In other contexts both might be used to indicate the *plural* form, of which 'papai' and 'nunui' have already been mentioned.

19.6

nā = well then/and so

Many verses of the Bible start with 'nā'. This is just a narrator's device for beginning some new development in a story.

Nā, i ahau e haere ana ... = *So*, as I was going...
Nā, ko tetahi tangata, ko Paki te ingoa ...
    = *Well*, a certain man, Paki by name...
Nā, ka whakapono ētahi o rātou ... = *Now*, some of them believed...

In some cases 'nā' may be shortened from 'nā reira' (= 'and so/therefore').
See 19.13.

19.7

arā = namely/that is to say

Ka karanga te kuia ki te manuhiri, *arā* ki a Haora.
    = The old lady called out to the guest, *that is to say*, to Haora.

19.8

heoi = however/notwithstanding

He āhua mate tō rāua whaea, *heoi* ka haere atu rātou katoa ki tātahi.
    = Their mother was a little ill, *however* they all set off to the beach.
Heoi ka moe tonu ngā tamāhine a Hine.
    = *Notwithstanding this* Hine's daughters continued to sleep.

19.9

heoi anō = in conclusion

Heoi anō, ka whakaae mātou ki tēnei tikanga hōu.
    = *In conclusion*, we agree to this new plan.

19.10

ahakoa = even though/despite/even so/although

Ahakoa kei te mākū *(Ahakoa* he mākū) o ratou kakahu,
    ka mahi tonu rātou.
    = *Even though* their clothes were wet, they kept on working.
Ahakoa he wāhi mokemoke tēnei, ka noho au.
    = *Although* this is a lonely place, I shall stay.
Ahakoa te nui o te utu o te whare, ka hokona e tōku tuahine.
    = *Despite* the great cost of the house, my sister will buy it.

19.11

rā = by way of/via

I te whakatata te taua ki te pā *rā* te awaawa.
    = The war party was approaching the pa *by way of* the valley.

Mā can be used in the same way.

Ka tomo rātou *mā* te kuwaha iti.
    = They entered *by way of* the small gateway.

19.12

tērā = there was

Nā, *tērā* tetahi wahine mōhio no te kāinga o Matangi.
    = Well then, *there was* a certain clever woman of Matangi's village.

'Tera' can also be used to mean 'that person' or 'he/she'.

Ka mea *tērā* ki a rātou, 'Ko wai koutou?'
    = *He* said to them, 'Who are you?'

19.13

nā reira/nō reira = therefore/and so

This is useful in speeches while thinking of what to say next! Strictly, 'nā reira' would be used after mentioning some action, and 'nō reira' after mentioning general circumstances.

Kua haehae ahau i tōku tarau *nā reira* ka patua au e tōku pāpā.
 = I have ripped my pants *and so* I'll be beaten by my father.
Nō reira, e hoa mā, haere mai, haere mai, haere mai!
 = *Therefore*, friends, welcome, welcome, welcome!

19.14

nā te mea/nō te mea/(sometimes) tā te mea = because

Nā te mea ka haere tōna whaiāipo ki tawhiti ka tangi a Tīna.
 = *Because* her sweetheart went far away Tīna lamented.
Kua hoki mai au *nā te mea* ka pau katoa āku moni.
 = I have come back *because* my money is all spent.

19.15

Here is another way in which 'because' may be implied:

I te mataku o Rātā ka oma (ia). = *Because* he was frightened Rātā fled/
 Because Rātā was frightened he fled (literally, *At* Rātā's fear he fled).

19.16

Another way is used where a person's nature, or a quality they possess, is the basis of a particular action of theirs.

He kaha *nōna* i mahi pērā *ai* a Hau. = *It is because* he is strong (that) Hau works like that. (For 'ai', see Lesson 24.)

19.17

me = together with/and/accompanied by

Whakahonoretia tōu pāpā *me* tōu whaea.
 = Honour your father *and* your mother.
ngā mea i te rangi *me* ngā mea i te whenua
 = the things in the sky *and* on the earth
Ka huihui ngā Parihi *me* etahi o ngā karaipi.
 = The Pharisees assembled *together with* some of the scribes.

19.18

me = at the same time

Ka hoki atu rātou *me* te amuamu.
= They started to go back with grumblings
(They started to go back *at the same time* grumbling).

Heoi ākina ana e rātou a Tēpene ki te kōhatu *me* ia e karanga ana ki te Ariki. = However Steven was assaulted by them with stones *(at the same time) as* he was calling to the Lord.

19.19

Apart from 'me', there are several ways of expressing or implying 'and'. Here are two:

hoki = and/also/as well

Whakaorangia koe, māua *hoki.* = Save yourself, (and) us *as well.*

19.20

ā = and then/and after that/and after a time/and so

Nā, ka miharo ratou ki tāna kupu, *ā* whakarongo kau ana.
= They marvelled at his word *and* just listened.

19.21

'Either/or' is implied by using 'rānei' (= 'is it so?')

He mea pai tenei, he mea kino *rānei?*
= Is this a good thing, *or* a bad thing?

He mea tika rānei te hōatu takoha e mātou ki a Hiha, kāhore *rānei?*
= Is the giving of taxes by us to Caesar a correct thing, *or* not (kāhore)?

19.22

The word 'ia' is used in the following way to mean 'each'.

Ka kōrero te Kīngi *ki ia hōia ki ia hōia.* = The King talked *to each soldier.*
i *ia* rā *ia* rā = on *each* day

These are not errors; other repeated forms can be used, such as:

Ko ēnei ngā tauera *mā tēnā kōtiro mā tēnā kotiro.*
= These are the towels *for each girl.*
Me haere tāua *ki ia whare ki ia whare.*
= We had better go *to each house.*

'Each other' is expressed by 'tetahi ki tetahi'.

I waiata rāua *tetahi ki tetahi.*
= They sang to each other (one to another).

19.23

Sometimes there is difficulty in following events when 'ia' (= 'he/him') is both the subject and object of a series of sentences.

Ā, i tōna mōhiotanga no te rangatiratanga *ia* o Hērora ka tonoa *ia* ki a Hērora i Hiruhārama hoki *ia* i aua rā.
= And, when *he* (Pilate) was informed that *he* (Jesus) belonged to Herod's province *he* (Jesus) was sent to Herod as *he* (Herod) was in Jerusalem in those days.

Some speakers say 'ka haere ia'; others say 'ka haere a ia'.

19.24

'Then/for the first time' is translated as 'katahi' (note the reversal of subject and verb).

Kātahi ia ka haere ki te whare o tōna hoa.
= *Then* he went to his friend's house.

19.25

There are two forms of 'if ' commonly used in Māori.

Ki te haere rātou ki Taupō, ka noho au ki konei
  (*Ki te mea* ka haere rātou ki Taupō, ka noho au ki konei).
= If they go to Taupō, I shall stay here.

This 'if ' considers some future circumstances that *may or may not* happen ('if it so happens').

Mehemea i noho rātou ki konei ka haere au ki Taupō.
= *If they had stayed* here I should have gone to Taupō.

This 'if ' considers the consequences that might have followed some past circumstances that are known not to have occurred ('if it had been the case').

'It looks as if/it is as if ' is translated as 'me te mea nei'.

Me te mea nei kei te moe kē rātou.
= *It looks as if* they are already asleep.

We can also interpret 'me te mea' as 'about/in the order of '.

Ko te tokomaha o ngā tāngata *me te mea* e rima mano.
= The number of people was *about* five thousand.

19.26

The forms of 'but' used most are:

engari
    = but on the contrary/but on the other hand/but it would be better that

I mauria mai e au āna kai *engari* e whiu kē ana ia.
    = I brought his food *but* he was already satisfied.
engari whakaorangia matou i te kino
    = *but* save us from evil
Engari ka karangatia koe, haere whakamua.
    = *Instead*, when you are called, go forward.

The form 'erangi' is sometimes used.

erangi te pahemotanga o te whenua
    = *but more likely* (would be) the destruction of the earth

'Otirā' means 'but however/but at the same time'. It is somewhat similar in meaning to 'ahakoa' but not easy to define.

Otirā nō te kitenga o ngā kaimahi i ā ia, ka kōrerorero ki a rātou anō.
    = *But* when the workmen saw him, they held a discussion amongst themselves.

'Otiia' means 'not withstanding this'. Again, it is hard to give a rule for its use.

Otiia me haere ahau ināianei. = *Yet* I must be on my way now (today).

19.27 People

Relationship is very important to the Māori. Social seniority is claimed by those able to trace their whakapapa or geneaology in the most direct way to illustrious ancestors. Rights to shares in land and entitlement to speak on the marae may also depend upon relationship. Because of this, there are special words to indicate elder or younger relations, or senior and junior branches of a family. 'Tuakana' means 'elder brother of a man' or 'elder sister of a woman'. 'Teina' means 'younger brother of a man' or 'younger sister of a woman'. 'Tungāne' means 'woman's brother (either older or younger)', and 'tuahine' means 'sister of a man'. 'Matua tāne' means 'father'. 'Mātua' means 'parents'. 'Whaea' means 'mother'. 'Whaea kē' means 'aunt'. 'Kuia' means 'grandmother' or more generally 'old lady'. 'Koro' or 'koroheke' means 'grandfather'. 'Kaumātua' means 'elder' or 'councillor'. 'Tipuna' or 'tupuna' means 'grandparent' or 'ancestor'. 'Mokopuna' means 'grandchild'. 'Irāmutu' means 'niece' or 'nephew'.

Whānau (extended families) and hapū (subtribes) make up each iwi or tribal group. Within the whānau, the precise differences between brothers and cousins, and between mothers and aunts, were not always stressed to the same extent as in non-Māori society. 'Rangatira' means 'nobly born person' or 'chief '. A 'wahine rangatira' is a 'woman of good family', and a 'puhi' was a carefully chaperoned girl of high rank whose duty was to lead the entertainment of guests. 'Ariki' were men of the highest standing, paramount chiefs. 'Tohunga' means 'expert', that is, a specialist in some particular aspect of Māori life – for example, 'he tohunga tā moko' was a tattooing expert and 'he tohunga whakairo' was a carver.

There are excellent books available on all such aspects of Māoritanga, and you should read them to complement your language study.

19.28 Poetry and literature

The Māori poet, like any other, was not restricted to the use of strictly 'correct' sentences. Words expressed feelings and associations of ideas, so that fragments of speech might well be sufficient to indicate the mood or trend of thought of the poet.

Poetic compositions in Māori were in the form of spontaneous songs, which were memorised by those who heard them, often at a single hearing, and were later passed on orally to future generations. A great wealth of the waiata of the Māori is to be found in the three volumes of *Ngā Moteatea*, collected and annotated by Sir Apirana Ngata and Pei Te Hurinui Jones.

The classic of Māori literature is the collection of legends about Māui and Tāwhaki, and the stories of the migrating canoes of the Māori ancestors. This is called 'Ngā Mahi a Ngā Tūpuna'.

Perhaps the finest examples of precise meaning expressed in the Māori language are to be found in the Māori Bible (Paipera Tapu). It should be noted that the language of the Māori Bible is modern; whereas the language of the English Bible is old-fashioned. Of great value to the student is the Māori/English text 'Te Rongopai mā te Ao Hōu' (St. Luke), obtainable very cheaply from the Bible Society, who printed it to celebrate the centenary of the Māori Bible.

Exercise 19a

1. Over there! Our friends are coming.
2. Good morning Hine. How is your mother?
3. Wait on! Fetch our tools.
4. Her job is washing clothes (washing the clothes).
5. Well then, give me the money for him.
6. Even though this is my home place, I shall depart.
7. Is that thing a bird or a plane?
8. They have arrived therefore we had better eat.
9. Give these to the women and the girls.
10. I shall go to town each day.
11. If Meri stays I shall go to Waikaremoana.
12. My dogs and I went pig hunting (I went with my dogs to hunt pigs).

Exercise 19b

1. In winter I go to Northland.
2. She washed the table.
3. Kiri sang again.
4. He has found a very big paua.
5. They (two) are very active (kaha) at milking the cows.
6. The buses arrived from Tauranga, Taupo and Taumarunui.
7. My friend is somewhat ill.
8. He woke. He woke me.
9. Huhana is my sister (said by a man).
10. Friend, you had better eat.

LESSON 20

Verbal Nouns

I have already noted how a 'word' may change or develop into another form, giving a further useful meaning. There are two ways in which a Māori verb can be changed into a noun, the resulting words being 'verbal nouns'.

20.1

The first and most direct method is to place the article 'te' in front of the verb. This forms what is called a 'gerund' and is used to refer directly to the *action itself.*

te haere = the (action of) going/the motion
te kai = eating   te kōrero = talking
te moe = sleeping   te mahi = working

20.2

Here are some examples of use:

Ka pai *te hoki* ki te kāinga. = *Returning* home is good.
Me ako koe i *te tao kai.* = You had better learn *cooking.*
Ko *te tuhituhi* te mea nui i ēnei wā.
    = *Writing* is the important thing these days.

20.3

In some sentences the article 'he' is used instead of 'te'.

He tuitui te mahi a Hine. = *Sewing* is Hine's job.

20.4

The second way in which a Māori verb may be converted into a noun is by the addition of one of the following endings: 'nga', 'ranga', 'hanga', 'tanga', 'anga', 'inga', 'manga' or 'kanga'.

This type of verbal noun refers to the 'unit' of a particular action rather than the action itself. For example:

te haere = the progress (the going)
te haerenga = the journey
Tino tere tā rāua *haere*. = Their *travelling (going along)* was very quick.
He tino roa tō rāua *haerenga*. = Their journey was very long.

20.5

The examples below show that many useful and frequently used words are made up in this way. The root verb is always clearly recognisable, and this makes translation easier.

huihui = to assemble   te huihuinga = the assembly
tau = to alight/come to anchor   te tauranga = the anchorage
mātau = to know   te mātauranga = the knowledge
patu = to hit   te patunga = the hitting/the killing
ui = to question   te uinga = the questioning
ara = to arise   te aranga = the arising
kōrero = to speak   te kōrerotanga = the conversation
tae = to arrive   te taenga = the arrival
whakaae = to agree   te whakaaetanga = the agreement
tū = to stand   te tūranga = the standing place/
                    the foundation
noho = to sit   te nohoanga = the sitting place/the seat
moe = to sleep   te moenga = the sleeping place/the bed
titiro = to look   te tirohanga = the view
wehe = to depart   te wehenga = the departure

Note that in the last few examples the name of some object (a concrete noun) is formed. In the other examples a more abstract idea, in noun form, is obtained. However, the principle is the same in all cases: a noun is obtained relating to the action expressed by the verb.

20.6

Originally, the ending chosen would have been the one that sounded best with the particular verb to which it was added. Now, we just have to learn them as new and complete words, together with their meanings. Here are some sentences containing verbal nouns:

He ahuareka *āku kōrerotanga* ki ā ia.
  = *My conversations* with him were pleasant.
Ka whakarongo rātou ki *tāu whakaakoranga*.
  = They will listen to *your teaching*.
I te kōrerorero rātou ki *tōna hoatutanga* e ngā tāngata kino.
  = They were discussing *his being given up* by the bad men.

He nui *te huihuinga* o te iwi i aru i ā ia.

= The *gathering (assembly)* of people who followed him was large.

Ka kitea *te putanga mai* o *te rangatiratanga* o te Atua.

= *The coming forth (the appearance)* of *the kingdom* of the Lord will be seen.

Note that 'rangatira*tanga*' means the land or social areas under the authority of a 'rangatira'. The word is formed in a similar way to the verbal nouns, but is derived from a noun, 'rangatira' (see 20.11).

20.7

Note 'a' and 'o' forms: *'āku* kōrerotanga', *'tōna* hoatutanga'. This is most important where a person is either acting or being acted upon (see 'Active and passive forms', Lesson 3). This point will not occur very frequently, but you should be aware of the implications (see 9.10).

I kite rātou i *te hopunga o Tēpene* e ngā hōia.

= They saw *the catching of Steven* by the soldiers.

I kite rātou *te hopunga a ngā hōia* i a Tēpene.

= They saw *the soldier's catching* of Steven.

Ka whakahēngia e ngā tāngata katoa *tāku patunga* i ā ia.

= *My striking* him was condemned by all the people.

Ka whakahēngia e ngā tāngata katoa *tōku patunga* e ia.

= *My being struck* by him was condemned by all the people.

20.8

Sometimes more than one ending can be used with a root verb, to give separate, different meanings.

He tino uaua *te hekenga* o te pari.

= *The descent* of (act of coming down) the cliff was very difficult.

i ā ia e whakatata ana ki *te heketanga* o Maunga Ōriwa

= as he was approaching *the* (place of) *descent* of the Mount of Olives

Here is a classic example from the lips of Māui himself:

Ka waiho tonu tātou hei *tinihangatanga* mā tō tātou whaea.

= We shall be continually left to serve as *objects of deception* for our mother.

20.9

In Māori, as in English, we sometimes wish to use expressions such as 'on my arrival', 'at his departure', 'upon their being seen', etc. that indicate the time or setting of the events about to be described.

We form these expressions by using the appropriate verbal noun preceded by the prepositions 'i' or 'nō' for past time and 'a' for future time. This is a very useful construction.

I tō mātou taenga ki te pā, ka karanga mai te kuia.
  = *On our arrival* at the pa, the old lady called (to us).
Nō tōku rongonga i ōku hoa, ka haere atu au ki a rāua.
  = *Upon hearing* (on my hearing) my friends, I went over to them.
I tōna mōhiotanga no Kariri a Īhu, ka tonoa ia ki a Hērora.
  = *When he* (Pilate) *knew* that Jesus was from Galilee, he (Jesus) was sent to Herod.
Nō te kitenga o Īhu i tō rātou whakapono, ka kōrero ki a rātou.
  = *At Jesus' seeing* their faith, he spoke to them.
I te patunga a Hēnare i te tama, ka oma atu.
  = *Upon Hēnare's hitting* the boy, he ran off.
I te patunga o te tama e Hēnare, ka oma atu.
  = *When* the boy *was hit* by Hēnare, he ran off.
Ā te hokianga mai o te pīpīwharauroa ka whakatōkia te kūmera.
  = *At the returning* hither of the shining cuckoo, the kumera will be planted.

In the sentences above, 'at', 'upon', and 'on' are really interchangeable. They are a matter of choice rather than giving any difference in meaning. We could also use 'when' in an English translation: 'when we arrived...', 'when I heard...', etc. However, there are *several* ways to say 'when' in Māori, and the examples above show the correct form if a verbal noun is being used.

20.10

A very common way to express 'when' is to repeat the verb sign 'ka'.

Ka utaina ngā mea katoa *ka* hoki rātou ki te kāinga.
  = *When* everything was loaded up they returned to the settlement.

The same principle applies where the verb sign 'ana' (see 18.6) is used.

Here is a variation that is sometimes seen beginning with 'ko':

Ko te meatanga a Pita ki ā ia, 'Ko wai au?'

A literal meaning of this would be 'The saying of Pita to him (was), "Who am I?" ' or 'This said Pita to him, "Who am I?" ' For the translation to be correct-sounding English we should put 'This is what Pita said to him...', or just 'Pita said to him, "Who am I?" '

20.11

Occasionally, an adverb is used with a verbal noun, and in such cases the adverb is given one of the verbal noun endings. It is all a matter of combining sounds pleasant to the Māori ear.

ngā putanga kētanga o te taniwha
   = the different (various) appearances of the taniwha

20.12

Some *nouns* and *adjectives* are also given the endings set out at the start of
the lesson. The nouns formed in this way express a general or particular
development of the meaning of the parent noun or adjective.

rangatira = chief   rangatiratanga = domain/kingdom
kāwana = governor   kāwanatanga = government
tamaiti = child   tamaititanga = childhood
nui = large   nuinga = the largest amount/the majority
pai = good   painga = a benefit
ora = life/well   oranga = livelihood/a living/health/well-being

Exercise 20a

1. Listen to their conversation.
2. Let your kingdom come.
3. That is my bed.
4. His parents were joyful at his birth.
5. When he arose all the people applauded.
6. We had best write an agreement.
7. At the calling of the birds we shall get up.
8. At the ending of the day the workers returned to the settlement.
9. Bring that seat.

Exercise 20b

1. a big heavy rock (stone)
2. My horse is faster than that.
3. Upon their arrival we shall all eat.
4. Allow my friends to stay.
5. While I was sleeping my dog ran off.
6. I had better sharpen my pencil with this knife.
7. Hine and the others have the new cups.
8. This is the house where Paki is staying.
9. This is the church. Piripi is a minister.
10. Hine, Mere and Hera are working.

LESSON 21

Interrogatives

When we consider all the questions that can be asked, it is obvious that there are thousands, and that they can spring from a very wide range of subjects and circumstances. However, the *forms* that questions can take are *only* about nine or ten. We are also helped by the fact that in Māori an answer to a question nearly always takes the *same form* as the original question.

Do not be put off by the length of this section on interrogatives; it is really a summary of all the points covered in the other sections, set out here in one place for ease of reference. Because any conversation is bound to involve enquiries of one sort or another, plenty of practice of these question-and-answer forms will be very worthwhile. There is nothing set out below that you might not reasonably want to ask someone.

First, some general observations:

As with most languages, tone of voice is a basic way of changing a *statement* into a *query*.

He kurī tēnā. = That is a dog.
He kurī tēnā? = Is that a dog?
I a rātou te motukā. = They had the car.
I a rātou te motukā? = Did they have the car?

The insertion of 'rānei' (or sometimes 'koia') into a sentence acts as a sort of spoken question mark.

He koi tāna toki. = His axe is sharp.
He koi *rānei* tāna toki? = *Is* his axe sharp?

pea? = perhaps?

He pakaru *pea* tēnei waerehe?
    = *Perhaps* this wireless is broken? (I wonder if this wireless is broken?)

Some people say 'nē' at the end of a statement to mean 'isn't that so?' or, in everyday speech, 'eh?'

Tino pai, nē? = It's fine, isn't it?

21.1 Location

Where is Haora? = *Kei hea* a Haora?
Haora is at Whakarewarewa. = Kei Whakarewarewa a Haora.
Where were the children? = *I hea* ngā tamariki?
The children were at my house. = I tōku whare ngā tamariki.

To ask '*Where is* this (place)?' on a journey use '*Ko hea* tēnei?' (= '*Where is* this?') or '*Ko hea* tēnei kāinga?' (= '*Where* is this place? /What is this place?'). Also for geographical features: '*Ko hea* tērā maunga?' (= '*What is* that mountain?').

   To ask 'Where are you from (where is your home place/tribe)?' use 'Nō hea koe?' To reply use 'Nō Tikitiki au, nō Ngāti Porou' (= 'I am from Tikitiki, and belong to Ngāti Porou'). Note that 'I hea koe?' just means 'Where were you?' or 'Where have you been?'

To ask 'Where are you going *to?*' use 'E haere ana koe *ki hea?*'

To ask 'Where have they arrived *from?*' use 'Kua tae mai ratou *i hea?*'

To ask *what* is *located at* or *in* a particular place use this form:

He aha *kei* roto i tāu kete? = What *is in* your kit?
He rīwai *kei* roto i tāku kete. = There are potatoes in my kit.

(Do not use '*i roto i*' in this pattern.)

21.2 Identity

What is that? = *He aha* tēnā?
This is a cake. = He keke tēnei.
What are those? = *He aha* ērā?
Those are pigs. = He poaka ērā.
What is this day? = *Ko te aha* tēnei rā?
This day is Monday. = Ko te Mane tēnei rā.
What is the name of this child? = *Ko wai te ingoa* o tēnei tamaiti?
   (Do not say 'He aha te ingoa...?' in reference to a person.)
Rita is the name of that child. = Ko Rita te ingoa o tēnā tamaiti.
Who is he? = *Ko wai* ia?
Hirone (It's Hirone/He is Hirone). = Ko Hirone ia.
Who are those girls? = *Ko wai mā* ērā kōtiro?
Those girls are Kuini and others. = Ko Kuini mā ērā kōtiro.
Is that *you?* = *Ko koe* tēnā?
Yes, it is I (It's me). = Āe, ko au tēnei.

21.3 Time

What is the time? = *He aha* te taima?
The time is eight o'clock. = He waru karaka te taima.

When will they go (to London)? = Ā *hea* rātou (e) haere *ai* (ki Rānana)?
　(You can include 'e', but it is often left out.)
They will go on Saturday. = Ā te Hātarei rātou haere ai.
When did you eat? = *Nōnahea* koe *i* kai *ai?*
　(An 'i' is usually put in.)
I ate at five o'clock. = Nō te rima karaka au i kai ai.
　('I te' is an alternative form.)

(See also 21.8.)

21.4 Action

What are they *doing?* = *E aha ana* rātou? *(Kei te aha* rātou?)
They are eating. = E kai ana rātou (Kei te kai rātou).
What was Rua *doing?* = *E aha ana* a Rua? *(I te aha* a Rua?)
Rua was laughing. = E kata ana a Rua (I te kata a Rua).

The verb signs 'ka', 'i', and 'kua' are sometimes used:

What will they *do?* = *Ka aha* rāua?
They will stay. = Ka noho rāua.

To just enquire 'What is her job' use:

What is her job? = *He aha* tāna mahi?
Her job *is helping* the doctor. = *He āwhina* i te tākuta tāna mahi.

Note this useful form: 'aha' with a passive ending:

What happened to that prisoner? *(What befell* that prisoner?)
　= *I ahatia* tērā tangata herehere?
　(Don't use 'ki', meaning 'to', in the Māori version.)
He was beaten. = I patua ia.
What is he *doing to* the dog? = *E aha ana* ia *i* te kurī?
　(Note, just use the transitive preposition 'i' in this sentence, *not* 'ki',
　meaning 'to', which follows the English idiom.)
He is feeding the dog. = E whāngai ana ia i te kurī.

In some cases we have the reverse of the above – the action is known but
not the object.

What are the children eating? = E kai ana ngā tamariki *i te aha?*
They are eating the cakes. = E kai ana rāua i ngā keke.

What was the carpenter making? = I te mahi te kāmura *i te aha?*
He was making the new table. = I te mahi ia i te tēpu hou.

What are you going (off somewhere) *to do?* = Kei te haere koe *ki te aha?*
I am going to fetch firewood. = Kei te haere au ki te tiki wahie.

What was she looking *at?* = I te titiro ia *ki te aha?*
She was looking at the apples. = I te titiro ia ki te (ngā) āporo.

What are they listening *to?* = E whakarongo ana rātou *ki te aha?*
They are listening to the speaker.
    = E whakarongo ana rātou ki te kaikōrero.

What is he shooting *at?* (*At what* is he shooting?) = Kei te pupuhi ia *ki te aha?*
He is shooting at the rabbit. = Kei te pupuhi ia ki te rāpeti.

To whom is Maka talking? (Who is Maka talking to?)
    = E kōrero ana a Maka *ki ā wai?*
He is talking to Eddie. = E kōrero ana ia ki a Eddie.

Who fed/will feed the dogs? = *Nā wai* ngā kurī *i* whāngai?
    (*Mā wai* ngā kurī *e* whāngai?)
We all fed/will feed the dogs.
    = Nā tātou katoa ngā kurī i whāngai
    (Mā tātau katoa ngā kurī e whāngai).

Who bought these apples? = *Nā wai* ēnei āporo *i* hoko mai?
It was Mutu's wife. = Nā te wahine a Mutu.

What has eaten the corn? = *Nā te aha* ngā kānga *i* kai?
(It was) the rat (that) ate the corn (Rats ate the corn).
    = Nā te kiore ngā kānga i kai.

To ask *how* an action should be carried out, we have:

How should this job *be done?* (What form should this action take?)
    = *Me pēhea* tēnei mahi?
Like this/in this way, perhaps. = Me pēnei pea.

To ask *what* action should be taken, we have:

What should be done to this thing? = *Me aha* tēnei mea?
That thing should (had best be) washed. = Me horoi tēnā mea.
    (Remember: no passive endings after 'me'.)

Two interrogative patterns are based on the non-specific possessive form indicating intention, preoccupation (action), or desire (see 12.7).

What do you *want?* = *He aha tāu?* (He aha tāu e hiahia ai)?

'He aha tāu?' can also *imply* 'What is your opinion/contribution/attitude/objective?'

What is the dog *up to?* (What's the trouble with the dog)?
    = *He aha tā* te kurī?
Saul, *what is your object in* persecuting me? (Saul, *why do you* persecute me?) = E Haora *he aha tāu* e whakatoi nei i ahau?

It is very useful to be able to ask 'Do you know...?' (= 'E mōhio ana koe...?' or 'Kei te mōhio koe...?'). When a specific object is being referred to, 'mōhio' takes 'ki' as the transitive preposition.

Do you know my friend? = Kei te mōhio koe ki tōku hoa?
Do you know the right time? = E mōhio ana koe ki te taima tika?

However, when asking 'Do you know *who*...?' or 'Do you know *where*...?', the transitive preposition is not required.

Do you know *who that girl is?* = Kei te mohio koe *ko wai tērā kotiro?*
Do you know *who Keiko's husband is?* = Kei te mōhio koe *ko wai te hoa tāne o Keiko?*
Do you know *(what are) the names of* their daughters? = Kei te mōhio koe *ko wai ngā ingoa o* a rāua tamahine?
Does she know *where the children are?* = E mohio ana ia *kei hea ngā tamariki?*
Does Pita know *where his mother is living?* = Kei te mōhio a Pita *kei hea tōna whaea e noho ana?*
Does your friend know *where my house is?* = E mōhio ana tōu hoa *kei hea tōku whare?*

21.5 Possession

Who has my bike? = *Kei ā wai* tōku paihikara?
Pare has your bike. = Kei ā Pare tōu paihikara.
Who had all the plates? = *I ā wai* nga pereti katoa?
My mother had all the plates. = I tōku whaea ngā pereti katoa.
Whose is this pen? *(To whom does* this pen *belong?)* = *Nā wai* tēnei pene?
That pen belongs to me (That pen is mine). = Nāku tēnā pene.
Who does that nice dress *belong to?* = *Nō wai* tēnā kākahu pai?
To Konīria. = Nō Konīria.
To whom does that truck *belong?* = *Nō wai* tērā taraka?
That truck belongs to the Forest Service.
  = Nō te Tari o ngā Ngahere tērā taraka.
To where do they *belong?* (Where are they from?) = *No hea* rātou?
They belong to Ngāti Porou, from the East Coast.
  = Nō te Tai Rāwhiti, nō Ngāti Porou.
Who is that book *for?* = *Mā wai* tēnā pukapuka?
(It is) for me. = Māku.
Who are these new shoes *for?* = *Mō wai* ēnei hū hou?
Those shoes are for Horiana. = Mō Horiana ngā hū nā.

The following two statements of possession are made into questions by using an enquiring tone of voice. (Remember, this applies generally to *all* statements).

He has a wife (?) = *He* wahine *tāna* (?)
Yes, he has a wife. = Āe, he wahine tāna.
They have children (?) = *He* tamariki *ā rāua* (?)
No, they have no children. = Kāo, kāhore ā rāua tamariki.

21.6 Quantity

How many potatoes are in the kit? = *E hia* ngā rīwai kei roto i te kete?
There are eight potatoes in the kit. = E waru ngā rīwai kei roto i te kete.
How many children do you have? = *Tokohia* āu tamariki?
Two. = Tokorua.

The prefix 'toko' is used when referring to numbers of *people* between two and nine.

'He maha...' and 'Tokomaha...' are used for 'There are many...'

21.7 Quality

What is the colour of his socks? = *He aha te kara* o ōna tōkena?
The colour of his socks is yellow. = He kōwhai te kara o ōna tōkena.
Is this axe *sharp?* = *He koi* tēnei toki? (He koi ranei te toki nei?)
Yes, it is *indeed* sharp. = Āe, he koi *anō*.

To make sure that this form is taken to be a question rather than a statement, the word 'ranei' can be included, after 'koi'.
To enquire the condition or state of anything, use 'pēhea' (= 'like what?'):

What is their job *like?* = *He pēhea* tā rātou mahi?
Their job is very good. = He tino pai tā rātou mahi.
How are you? = *Kei te pēhea* koe?
Good, thank you! = Kei te pai!

21.8 Distinction

Which is the important thing? = *Ko tēhea* te mea nui?
The food is the important thing (Eating is the main thing).
  = Ko te kai te mea nui.
Which are your friend's apples? = *Ko ēhea* ngā āporo a tōu hoa?
These are my friend's apples. = Ko ēnei ngā āporo a tōku hoa.
Which is the pāua-gathering season? = *Ko tēhea* te wā kohikohi pāua?
The summer is the pāua-gathering season.
  = Ko te raumati te wā kohikohi pāua.

21.9 Reason

To ask 'why' in Māori is more complicated than the other interrogative forms, because a compound construction is used.

  To answer the question 'why', there is less restriction on the forms the answer may take. In some cases it will be seen that a straightforward statement can serve as an answer.

  The most general form is *'He aha* (koe) *i* (karanga) *ai?'* (= 'Why did you call?'); the literal meaning is *'What* (reason) you *did* call *therefrom'*. If we know that something has happened by the *action* of something, the form is *'Nā te aha* (koe) *i* hinga *ai'* (= 'Why did you fall?') (the literal meaning is *'By the action of what* you *did* fall *therefrom'*, based on the agent emphatic).

Why did he sleep? = *He aha* ia *i* moe *ai?*
Because he is lazy (He slept *because he is lazy).*
  = *He māngere nōna i* moe *ai* ia.
Why are you hitting him? = *He aha* koe *i* patu *ai* i ā ia?
He has kicked my dog.
  = Kua whanā tāku kurī e ia.
  (Note that whanā is the passive form of whana.)
Why will you go? = *He aha* koe *e* haere atu *ai?*
Because I wish to fish. = He hiahia nōku ki te hī ika.
Why did he speak like that to us? = *He aha* ia *i* kōrero pēna *ai* ki a tāua?
He is our real friend. = Ko ia tō tāua tino hoa.
(he hoa pono = a true friend)
Why are you late? = *He aha* koe *i* tūreiti *ai?*
I am late because of (through) the breakdown of the bus
  (By the breakdown of the bus I am late).
  = Nā te pakarutanga o te pahi i tūreiti ai au.
Why are they tired? = *Nā te aha* rātou *i* ngenge *ai?*
They are tired by (through) the length of the journey.
  = Nā te roa o te haerenga rātou i ngenge ai.
Why did you wake up? (What caused you to wake?)
  = *Nā te aha* koe *i* oho *ai?*
The dogs woke me. = Nā ngā kurī au i oho ai.

What is the reason (why) they have returned?
　= *He aha te take* i hoki mai ai rātou?
(Because of) a wish to see their mother.
　= He hiahia nō rātou kia kite i tō rātou whaea.

To ask 'What is the use of. . .'/'What is. . .for' use:

What are these things used *for? (What is the use (purpose) of* these things?)
　= *Hei aha* ēnei mea?
For food (For eating). = Hei kai.

21.10　Negative questions

As in English, a question can be phrased in a negative form, usually with 'rānei'.

Are you not his brother? = *Ehara rānei koe* i tōna tuakana?
Is he not working? = *Kāhore rānei ia* e mahi ana?

In original Māori idiom the answer 'Ae' to these would confirm the *negative* assumption.

Remember that in Māori it is usual for an answer to closely match the form in which the original question was phrased.

Exercise 21a

1. Who is that new house for?
2. How many children do they have?
3. Which of those girls is Hēnare's sister?
4. Why are they crying?
5. Is her dress blue?
6. Who do these fishing lines belong to?
　(Whose are these fishing lines?)
7. Who are those girls?
8. What has been done (happened) to this fence?
9. Where has your brother arrived from?
10. Where is my paper?
11. What is the time now?
12. Is the water cold?
13. Who is Mere talking to?
14. Who bought these potatoes?
15. Do you know him?
16. Why did the dog run off ?
17. How many rooms does your house have?
　(How many are the rooms of your house?)
18. Who are you looking at?
19. Who are those old ladies?

20. How many cockerels are in your hen house?
21. Why are they angry?
22. Where are Rōpata and Hōne?
23. Which is your cup?
24. When did your friend return?
25. What happened to this bicycle?
26. Are these oranges sweet or sour?
27. Whose is this camera (To whom does this camera belong)?
28. What is the Māori name of those birds?
29. Who had our ball?
30. Who planted the cabbages?
31. How many older brothers (sisters) do you have?
    (literally, How many your older brothers (sisters)?
32. Who is this singlet for?
33. What is the dog eating?
34. Who did Kiri sing to?

Exercise 21b

1. Be patient (stout-hearted). You had better wait until your mother arrives.
2. These black shoes belong to Paki.
3. There are many women at the dining hall.
4. Paki bought these shoes.
5. This is the house where I am staying (living).
6. This is the pen with which to write (for writing) to your sweetheart.
7. When our guests arrive Horiana will call.
8. Upon the departure of the bus...
9. This cake of hers is excellent.
10. What are Hēnare and Mere doing?
    They are getting ready to go to the service.

Passage for Translation (II)

E pā mā, e whae mā, e te hunga (ngā tāngata) katoa e mōhio ana ki te reo Māori. Tēnā koutou.

E kīa ana, na te Atua i homai tetahi reo motuhake ki tēnā momo tangata ki tēnā momo tangata.

Nā, mā wai ā tātou tamariki e whakaako ki te kōrero i tō rātou tino reo, i tō rātoū reo tika? Kei te whakaaro pea ētahi tāngata he mahi tēnei ma te kuramāhita anake? He aha rātou i whakaaro pēnā ai? Ehara tēnei i te reo Wīwī, i te reo Tiapana rānei.

Āwhinatia ngā tamariki ināianei. Kaua e whakarongo ki ngā tāngata kuare e kī mai ana, 'Kua mate-ā-moa te reo Māori.' Ahakoa ko ēnei ngā kupu o ngā pukapuka o te wharekura, kāhore au e tuhituhi ana i te reo Ingarihi. Nē? Ka whakaae koutou kia whakaorangia te kererū, te kiwi, te kōtuku rānei? Ka hiahia hoki koutou kia tiakina te kauri me ērā atu rākau o Aotearoa nei? Ka tautokona tonutia e koutou te mahi whakairo whare? te whatu kete? te mahi tukutuku? te aha? te aha? Ae, ka tika tēnā. Engari, ki ahau, ko te reo te mea tino nui. Ko te reo te take o ngā āhuatanga katoa o te Māoritanga.

Me pēhea e koe? Me kimi e koe ētahi tama, kōtiro rānei, e hiahia kaha ana ki te kōrero Māori. Ki tāku mohio he tokomaha ngā tamariki e whakaaro pēnei ana.

Ia rā, ia rā kī atu ki a rātou, 'He aha tēnei? he aha ērā? kei te aha tōu māmā? nā wai tēnā kete pai? mauria mai tō pukapuka; kei hea ōu hoa?'

Ehara tēnei i te mahi tino uaua. He nui rawa rānei tēnei utu hei (mo te) whakaora i tēnei o ngā reo tino reka o te ao?

Heoi, kia aroha tāu kōrero ki ngā taitamariki, kei puta mai te whakamā ki a rātou, ā ka kore rātou e pīrangi ki te whakahoki-kupu ki ā koe. Tukua ahau kia whakamārama i āku whakaaro ki a koutou. Me whakatū e ngā pakeke, e ngā kaumātua hoki, he rōpū, he karapu rānei; kātahi, ka huihui mai ngā tāngata katoa e pīrangi ana ki te āwhina i a rātou tamariki, i ō rātou hoa kia mōhio ki te reo. Ki te whakahaeretia tētahi rōpū kōrero Māori i ia tāone i ia tāone, ka nui haere ngā tamariki e pai ana ki te ako i te reo. Ki te tīmata koutou ki tēnei mahi atawhai, ki te mahi tonu koutou, ka mihia koutou e ō koutou tīpuna, e ā koutou mokopuna, e ō koutou hoa Māori.

142

Na reira, e hoa mā, ka mutu āku kupu ruarua.

What it said

Sirs, ladies, (to) the people who know the Māori language. Greetings.

(It) is said (that), by God was given a separate language to each race of men.

Well then, who will teach our children to speak their real (language), and (their) rightful language? Some people think (are thinking) perhaps that this is a task just for teachers (for teachers alone)? Why do they think like that? This is not the French or Japanese language.

Help the young people now. Do not listen to the ignorant people who say (are saying), 'The Māori language is extinct like the moa (bird).' Even though these are (the) words from (of) the school books I am not writing English. Is that not so? You agree that the pigeon, the kiwi or the white heron should be saved (don't you)? You also desire that the kauri and other trees of New Zealand should be protected. The carving of houses, plaiting kits, tukutuku work, and so on are continually supported by you (aren't they)? Yes, that is proper. But, (according) to me, the language is the really important thing. The language is the root (basis) of all aspects of Māoritanga.

What should you do? You should find some boys or girls who strongly desire to speak (talk) Māori. To my knowledge many children think like this (there are many children who are thinking like this).

Every day say to them, 'What is this? What are those? What is your mother doing? Whose is that good kit? Bring your book. Where are your friends?'

This is not a very difficult job. Is this price too great for saving (this) one of the really fine (sweet) languages of the world?

However, let your talk to the young people be sympathetic, in case they feel put off and will not want to reply to you. Permit me to explain my thoughts to you. A group, or club, should be set up by the adults and elders; then all the people wishing to help their children or friends to know the language could meet. If a Māori conversation club were organised in each town the (number of) children willing to learn the language would increase. If you start this well-disposed task, if you keep it up, you will be acknowledged (praised) by your ancestors, your grandchildren and your Māori friends.

And so, friends, my few words are ended.

LESSON 22

Neuter Verbs

There is a special type of verb in Māori called a 'neuter verb'. Unlike the ordinary verbs, which have active and passive forms, neuter verbs are never given passive endings, yet their *meaning* and the phrasing of the sentence they are in is always *passive*. This will be clearer when we look at the examples. Commonly occurring neuter verbs are:

mahue = left behind
pau = consumed/used up
mau = caught/seized
riro = obtained
pakaru = broken

oti = completed
motu = severed/cut off
whati = snapped
mākona = satisfied/full up
wareware = forgotten

22.1

We shall see later in the lesson that many adjectives may be used in the same way, but words shown above can be considered as neuter verbs 'in their own right'.

Kua *mahue* tōku tuakana. = My brother has been *left behind*.
I *maringi* tāku kapu tī. = My cup of tea was *spilt*.
Ka *pau* ngā pihikete. = The biscuits will be used up (consumed).

22.2

It can be seen that words such as 'spilt', 'left behind', etc. naturally lead on to the mention of some *agent*. The 'spilling' or 'leaving behind' was done by some person or thing. In the case of the passive form of an ordinary verb, the sign of the agent is 'e' (= 'by') but the sign of the agent after a neuter verb is 'i' (= 'by'). Take *careful note* of this.

Kua *mahue* a Hēnare *i* te pahi. = Henare has been *left behind by* the bus.
Kua *mau* te hipi *i* te kaikuti.
    = The sheep has been *seized (caught) by* the shearer.

Ka *pau* nga pihikete *i* ngā tamariki.

  = The biscuits will be *consumed by* the children.

I *maringi* tāku kapu tī *i ā* ia.

  = He spilt my cup of tea (my cup of tea was *spilt by* him).

There are not many neuter verbs, but it is necessary to know when you are dealing with one, so as not to confuse the 'i' with the transitive preposition in an active verb sentence. If you made this error, you would translate the first two sentences as 'Hēnare has left the bus behind' or 'Hēnare has abandoned the bus' and 'The sheep has caught the shearer', which are the very opposite of what is meant. 'He has left the bus behind' would have to be 'Kua mahue te pahi i ā ia'.

22.3

Two word orders are permissible. There is no difference in meaning.

Kua pau i ngā manu ngā hua rākau katoa.

Kua pau nga hua rākau katoa i ngā manu.

  = All the fruit has been consumed by the birds.

22.4

As well as the neuter verbs already shown, *adjectives* can be used as verbs, and they are frequently used in the form of neuter verbs. They usually indicate a particular *state*. The following examples will make this clearer:

adjective	*neuter verb*
whero = red	whero = reddened
mākū = wet	mākū = wetted/wet
mate = dead/ill	mate = slain/sickened
kino = bad	kino = spoilt
ora = well/alive	ora = healed/saved

Points to note:

(a) Like other neuter verbs, they are not given a passive ending, although they will always be used in a sentence set in passive form.

(b) They are accompanied by verb signs (or are used elliptically with just adverbs; see start of the next lesson). The preposition forms 'kei te . . .', and 'i te . . .' can also be used.

(c) The word 'i' (= 'by') is used as the sign of the agent after a neuter verb, not 'e'.

Kua kino katoa ēnei putiputi *i* te hau.

  = These flowers *have been* all *spoilt by* the wind.

Ka mate ahau *i* te aroha. = I *shall die by* (from) love.

Mā tonu te whenua *i* te hukapapa.

  = The ground was *quite white with* frost.

Kei te mataku rātou *i* te tangata haurangi.

= They *are frightened by* the drunken man.

Ka hōhā au *i* tēnei mahi roa.

= I *shall become fed up by* (with) this long job.

Here are examples where the use of the sign of the agent 'i' has not been necessary:

Kua roa ia e hiahia ana kia kite i a ia. = He *had long* wished to see him.

Ka rahi te hui i mine mai. = The crowd that assembled *became large*.

Ka koa taua pononga. = That servant *will be happy*.

I te ata o te Rā Horoi *ka moata* te oho o ngā tamariki.

= On Saturday morning the children woke early

(the children's waking *changed to early*).

Note that an adjective used *as a verb* is preceded by a verb sign; an adjective used *as a noun* is preceded by 'he' or a similar word.

Ka tika tāu kōrero, *he tika* tēnei rākau.

= What you say *is correct*, this tree *is straight*.

22.5   Explanatory verb

In some neuter verb sentences an additional verb is needed to give the full meaning, as with 'the girls have finished *sewing* the clothes'. 'Sewing' explains the process, now completed, to which the clothes were subjected, in contrast to some other process – for example, 'washing'. To give this effect, the explanatory verb is preceded by 'te' (the way in which an action itself is specified). This is shown in the examples.

Kua oti ngā kākahu i ngā kōtiro *te tuitui*.

= The clothes are finished being sewn by the girls

(The girls have finished *sewing* the clothes).

Kua oti ngā kākahu i ngā kōtiro *te horoi*.

= The girls have finished *washing* the clothes.

22.6

The use of explanatory verbs is also applicable where a neuter verb is formed by using an adjective.

Ka tata a Hērora te whakaputa mai i a ia.

= Herod was near to bringing him out. ('Tata' means 'near', of place or time.)

Ka poto katoa te iwi te iriiri. = The people had all been baptised. ('Poto' means 'all dealt with'.)

22.7

It may save confusion to note the following point. A neuter verb, or adjective in neuter verb form, more particularly refers to some existing or resultant *state*. However, in some (but not all) cases, it is possible to also have *the same verb* (that is, a verb derived from the same root) used in 'ordinary' verb form, usually with the addition of 'whaka'. This provides more flexibility in reference to time or the state of the action.

Kua *mataku* rātou *i* te raiona. = They *have been frightened by* the lion.
E *whakamatakuria* ana rātou *e* te raiona.
   = They *are being frightened by* the lion.

Similarly:

E whakamaroke ana rātou i ā rātou tauera.
   = They are drying their towels.
I whakaorangia ia e te kāpene. = He was saved by the captain.
E whakamate ana a Patu i ngā poaka. = Patu is killing the pigs.
Ka whakakīa ngā pēke e ngā kōtiro.
   = The sacks will be filled by the girls.

Exercise 22a

1. Hori has finished writing the letters.
2. I shall save him.
3. The window of the school has been broken.
4. The horses were obtained by Manaia and his sons.
5. The old man finished speech-making.
6. The cat has spilt the milk.
7. The branch of that tree will snap.
8. He has caught Hine.
9. Hine has caught him.
10. The farmer has finished selling the sheep.
11. The farmer has finished shearing the sheep.
12. My socks have been dried by the sun.

Exercise 22b

1. I wish to sing. I wish you to sing.
2. Here (they are)! These are your things.
3. We had better go to talk to his sister, namely, to Mere.
4. Don't sit down, help me.
5. Eating is the most pleasant activity.
6. I have (possess) a very old tiki.
   My tiki is very old.
   This tiki of mine is very old.
7. We had better keep on working (work continually).

8. She is the woman who bought the food.
9. Bring the big sharp axe.
10. This towel belongs to me but the swimming togs belong to you (two).

LESSON 23

Elliptical Use of Adverbs, Unusual Verbs

It is usual, as we have seen, for a verb to be preceded by one of the various verb signs, and in some cases the meaning is modified by the addition of an adverb. However, it is not uncommon to see sentences in which the verb sign has been omitted but one or more adverbs have been retained. This is called an elliptical construction.

23.1

Māori has developed in a way that favours patterns of speech that give more impact when used for narration or oratorical effect. A relatively small range of adverbs are used elliptically, and the following examples are some of those most frequently seen. There is often a regular association between a particular adverb, or adverbs, and the verb they are used with. This helps make translation a little easier than it might otherwise be. Note that they give a specific shade of meaning to the part of the sentence that describes the action.

Tae rawa atu mātou ki te awa kua wehe kē te poti.
> = When we *eventually arrived* at the river the boat had already departed.

Ka mahi rātau i ngā māra *taea noatia* te Rā Tapu.
> = They worked in the gardens *right up to* Sunday.

Ā *miharo noa* rātou katoa. = And they all *just marvelled.*

Tū ana ngā tāngata tokorua i ō rātou taha, *uira tonu* ngā kākahu.
> = The two men stood at their side,
> (the men's) clothes (were) *quite gleaming.*

Mahue ake i a rāua tō rāua matua. = *Then and there* they *left* their father.

Rite tonu ia ki te tia ki te oma. = He is *just like* a deer at running.

Nā, *karanga tonu atu* ia i a rāua. = Well then, he *called* them *right away*
> (he *just kept calling* them).

Makā ana ia ki waho o te māra waina, *whakamatea iho.*
> = He was thrown out of the vineyard, (and was) *just killed.*

150

23.2

Neuter verbs, or adjectives used as verbs, can also be used without a verb sign in just the same way.

Kī tonu ā rātou kete ka hoki rātou ki te kāinga.
= When their kits were *quite full* they returned to the village.
Mā katoa a Tongariro i te hukarere. = Tongariro was *all white* with snow.

In these sentences 'i' (= 'by/with') is the sign of the agent. Note that the dropping of the article 'he' in sentences such as 'Tino pai rawa tōu kākahu korowai' (= 'Your korowai cloak is very fine') and 'Pai noa iho a rātou mahi' (= 'Their work is quite all right') are other examples of ellipsis.

23.3

Here is an unusual example where the adverb is used *before* the verb.

meake = soon

No tōna kitenga i a Peta rāua ko Hoani *meake tomo* ki te temepara, ka tono ia i tētahi mea māna.
= When he saw Peta and Hoani *soon to enter* the temple,
he requested something for himself.

23.4

Here are other ways in which verbs are made to express a greater range of meanings.

In appropriate contexts a verb is seen in which two syllables have been doubled. This is done to give a sort of 'spreading' idea to the meaning of the verb. The basic verb will always be recognisable.

E kōrero*rero* ana rātou i ēnei take nunui.
= They are *discussing (talking over)* these important subjects.
Kei te mātaki*taki* ngā tamariki i ngā mea katoa.
= The children are *gazing around* at everything.
Ka haere*ere* ia ki ngā whare katoa o te kāinga.
= He *strolled about* to all the houses of the settlement.

23.5

Here are some cases where the *root* of the verb is doubled to give a meaning of *repeated* action.

patu*patu* = to keep on hitting
kata*kata* = to laugh continually or repeatedly
kimi*kimi* = to keep looking for something
whakatika*tika* = to tidy up/to put things in order

23.6 Actions 'on the move'

Sometimes a person is said to be doing something while going along.
'Haere' (= 'to go') is placed directly after the verb describing the action.
Its function is that of an adverb.

E *kimi haere* ana rātou i āna moni ngaro.
  = They are *going along seeking* his lost money.
Ka *waiata haere* a Arapeta. = Arapeta *sang as he walked (as he went along)*.

23.7

'Haere' added to an *adjective* forms a word meaning 'to develop' or
'increase' the attribute indicated by the adjective.

Ka *nui haere* ā rātou kāhui hipi. = Their sheep flocks will *increase*
  (become large).
Kei te *mārama haere* te rangi. = The sky is *getting lighter* (becoming
  lighter).

23.8

'Pēnei', 'pēnā' and 'pērā', meaning 'like this or that'/'in this or that
manner', may be used as verbs.

Ka pēnā te tangata e whakapūranga ana i te taonga māna ake.
  = *Such will be the case* with a person who accumulates possessions for
  himself alone.
He rangatira te tangata *e pērā ana* āna mahi.
  = The man whose actions *are like that* is a gentleman.

23.9

'Kai' is a prefix used before a verb to signify the *person* who performs a
particular sort of action.

kaimahi = worker/workman
kaititiro = observer/inspector
kaitiaki = guard/protector
kaiārahi = guide
kaiwhakarongo = listener
kaiwhakahaere = manager/master of ceremonies ('causer to go')
kaiwhakatangipiana = pianist
kaihikihikitamariki = nursemaid

23.10 Unusual verbs

There are no 'irregular verbs' in Māori requiring changes in form to be memorised. However, a small number of verbs do have slight differences from the usual pattern. A few of those most frequently seen are set out here.

'Hōmai' and 'hōatu' do not take a passive ending when used in a passive sentence; this means that they do not become 'hōmai-tia' or some similar form.

Kua *hōmai* ēnei mea e tō mātou matua ki a mātou.
= These things were *given* to us by our father.

'Waiho' (= 'to put/place/leave') is used in a similar way. 'Rokohanga' (= 'to come upon/to meet with/to encounter some circumstance') is always passive. Here is an elliptical example:

Ā rokohanga atu e rātou kua hurihia te kāmaka i te urupā.
= And so they found that the boulder had been rolled from the burial place.

For some reason, the passive of 'rongo' is 'rangona' (= 'heard').

23.11

With verbs that have the first syllable repeated, the double syllable is often reduced to one in the passive form.

titiro – *tiro*hia = look
pupuri – *puri*tia = hold
pupuhi – *pū*hia = shoot
tuitui – *tui*a = sew

23.12

tikina = fetch

'Tikina atu' means 'go over there and fetch (it) back here'.
'Tikina mai' means 'come here and take (it) away'.

Whereas:

'Mauria atu' means 'take it away, from here'.
'Mauria mai' means 'bring it here, from over there'.

23.13

'Mau' can either be the verb 'to bring' or the neuter verb 'caught/seized'.

Kua mauria atu e ia te kurī. = He has taken the dog.
   (Here 'e' is the sign of the agent.)

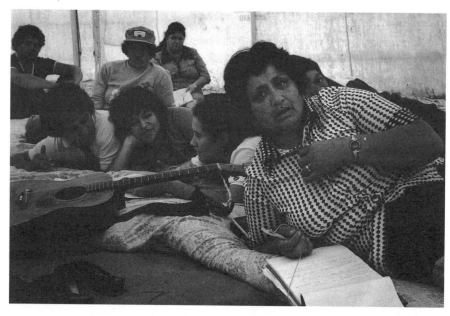

Nāna te kurī i mau mai. = He brought the dog.
　(This is the agent emphatic.)
Kua mau ia i te kurī. = He has been caught by the dog.
Kua mau te kurī i a ia. = The dog has been caught by him.
　(Here 'i' is the sign of the agent.)

23.14

'Taea'/'āhei': the meanings of these two words are very close. 'Taea' means 'to be accomplished/put into effect/carried out/done'. 'Āhei' means 'able to do or accomplish/possible/within one's power'.

Ka taea e au tēnei mahi uaua. = I shall carry out this difficult work.
E taea rānei e te wahine te tahitahi?
　= Will the woman manage to do the sweeping?
E āhei i ā koe te kōrero pukapuka. = You are capable of reading.

Points to note with these verbs are that they are most likely to be phrased in the passive form, although the English versions are in the more usual active. Although 'e' (= 'by') follows 'taea' as the sign of the agent, after 'āhei' (a participle or neuter verb) 'i' (= 'by') is the appropriate sign. Note also that a form of 'explanatory verb' specifies the sort of action involved, so that 'te tahitahi' and 'te kōrero pukapuka' are used, not '*ki* te tahitahi' and '*ki* te kōrero pukapuka'.

23.15 Reversal of sentence order when using certain words

'Kātahi' means 'then/after the foregoing events/for the first time'. This word is very common and comes first in the sentence, followed by the subject.

Kātahi ia ka hopu i tōna ringa matau ka whakaara ake i ā ia.
 = *Then* he caught hold of his right hand and raised him up.
Kātahi rātou ka mōhio ki ā ia. = *Then* they knew him.

If, however, the 'subject' part of the sentence is several words long, the usual word order can be used.

Kātahi ka haere a *Tū rātou ko āna tama* ki te tatau o te whare.
 = *Then Tū and his sons* went to the door of the house.

23.16

taihoa = by and by/in good time

A similar reversal of word order may be used with 'taihoa' (see 17.11).

Taihoa koe ka tukua ki te kura. = *Presently* you will be sent to school.

23.17

A form of abrupt suggestion or order is obtained when 'tātou' is used in a reversed-order sentence.

Tātau ka haere ki Matamata! = Let's be off to Matamata!

Exercise 23a

1. When he eventually reached town he went straight into the Post Office.
2. Your prayer has been heard.
3. My sister is a tourist guide.
4. They are repeatedly hitting my friend.
5. He just wandered around talking to his friends.
6. Then the women tidied the beds.
7. Look at those girls walking along singing.
8. These books were given to me by my father.
9. His face was all red by the heat of the fire.
10. Then Tūtānekai returned to his village.
11. The naughty children have been caught by their mother.
12. (Go and) fetch his truck.

Exercise 23b

1. Please give me two (fish) hooks.
2. We had better listen carefully to him.
3. This is my own saw.
4. Before they departed Hone and Peti ate the porridge.
5. She will make them all work.
6. He has agreed that the radio should be bought by you.
7. It is very hot outside.
8. The tickets were in my purse (bag).
9. They all love her.
10. I knew her brother.

LESSON 24

The Particle 'ai'

There are two reasons for the length of this lesson. Firstly, the particle 'ai' is used *as an addition* to any one of a wide range of constructions that have already been learned. Its influence on the meaning of each is shown. Secondly, I have tried to save students the time required to sort out the material for themselves.

More mystery surrounds the use of this particle than is really necessary. Although in most cases 'ai' is not directly represented by a particular word in English, it does have meaning by implication or influence.

In old-fashioned English, words equivalent in meaning to 'ai' are common – 'therefore', 'thereupon', 'thereby', 'thereat', etc. all more or less *refer back* to some *time, place* or *circumstance* already mentioned.

English has evolved, as all languages are in the process of doing, in a way that has left these words with more restricted uses. Consequently, the Māori 'ai' is left without direct representation in everyday English. In modern speech, for example, words such as 'whereat' are now replaced by 'at which' or just 'where'. The only way to become more confident about 'when to put it in' is to learn the basic sentence patterns and form an understanding of what influence 'ai' has in each case.

In a particular sentence, the 'time' or 'place' to which the particle 'refers back' will be indicated by 'e', 'a', 'hei' or 'mā' marking future time, or 'i' or 'nā' marking past time.

The following is a review of the most common situations in which the particle 'ai' is used. Where it seems helpful, the translations of the examples will be shown in stages – first a literal translation, then an ordinary idiomatic English translation.

24.1 Place

(a) Location specified:

Ko te whare tēnei *i noho ai* ngā rangatira.
  = This is the house *did stay therein* the chiefs
  (This is the house *in which* the chiefs *stayed*).

157

Ko Koutu te pā *i manākitia ai* ngā toa rongonui.

= Koutu was the pā *were entertained thereat* the famous warriors

(Koutu was the pā *at which* the famous warriors were entertained).

Me haere tātou ki te rūma *e waiata ai* a Mere.

= We had best go to the room will sing therein Mere (We had best go to the room *where (in which)* Mere *will sing*).

Ko tērā te whare kai; *ko reira huihui ai* ngā tāngata katoa.

= That is the dining room; *it will be there that* all the people *will assemble.*

Titiro ki te wāhi *i whakatakotoria ai* ia! = Look at the place *where* he *was laid!*

(b)   Interrogative forms regarding location:

I hea te kāinga *i noho ai* ōu mātua?

= Where is the village *at which* your parents *lived?*

Ko tēhea te ara *e haere mai ai* tō tātau hoa?

= Which is the track *will come thereby* our friend?

(Which is the track *by which* our friend will come?)

Ko hea tātou *hoko ai* i ētahi taro?

= Where shall we *buy thereat* some loaves?

(Where is the place *at which* we shall buy loaves?)

24.2   Time

(a)   Time or occasion specified:

Ka whānau ahau i te wā *i hangā ai* tēnei piriti.

= I was born at the time *(at which)* this bridge *was built.*

I te rā *i kite ai* mātou i tō mātou matua ka ora ia.

= On the day *(on which) we saw* our father he became well.

E toru ngā rā *i āwhinatia ai* mātou e ia.

= (It was) three days *on which we were helped* by him

(He helped us for three days).

I ngā pō *i tika ai* ka karakia te tohunga.

= On the nights *on which* (it) *was proper* the tohunga prayed.

Ākuanei *kitea ai* te tika o tāku kōrero.

= Presently *will be seen (thereat)* the correctness of my talk

(Presently the correctness of my statement *will be seen*).

He tino makariri te roto i te wā *i kauhoetia ai* e Hinemoa.

= The lake was very cold at the time *(at which)* it *was swum* by Hinemoa.

Ko Tīhema te marama tino wera; hei reira *timata ai* te mahi.

= December is the hottest of the months; let it be then *that* the work *commences.*

ngā rā e whā tekau *whakamātautauria ai* ia e te rēwera

= the forty days *on which* he *was tempted* by the devil

In some cases where the time of the event is indicated by context or implication, the time indicators 'i' and 'e' may be left out.

(b) 'When?' (questions and answers concerning time):

Ā hea koe haere *ai* ki Ākarana? = *When* will you go to Auckland?
Ā te Hātarei haere *ai* au ki Ākarana.
   = *(It will be) on* Saturday (that) I shall go to Auckland.
Nō nāhea koe i hoki mai *ai* i Pōneke?
   = *When* did you return from Wellington?
I (Nō) te Mane i hoki mai *ai* ahau i Pōneke.
   = *It was on Monday* that I returned from Wellington.
Ko te Tūrei te rā *e/i hoko ai* māua i tō māua whare hōu.
   = *Tuesday* is the day *on which we shall buy/bought* our new house.
Ā hea puta mai *ai* te rangatiratanga o te Atua?
   = *When* will the kingdom of the Lord appear?

24.3 Customary or habitual action

These are statements about an action or state of affairs occurring at some *time* or *place* in a regular manner.

Noho ai ngā kaumātua i runga i tērā nohoanga.
   = The elders *customarily sit* on that seat.
I ngā Hātarei *haere ai* ia ki te hōtēra.
   = On Saturdays he *habitually* goes to the hotel.
Haere ai rātou ki te karakia ia Rā Tapu ia Rā Tapu.
   = They *regularly go* to the service each Sunday.
Ko nga tamariki *waiata ai* i ngā kōnohete.
   = It is the children who *usually sing* at the concerts.

24.4 Additional explanatory information

These are brief explanatory additions to the main statement in a sentence.

Ka haere rāua ki Kaingaroa *noho ai.*
   = They went to Kaingaroa *to live there.*
Āpōpō *kaukau ai* au ina kitea te wai ariki.
   = Tomorrow when the warm spring is found I shall *bathe there* (in).
Kātahi ia ka piko iho *wewete ai* i te here o ōna hū.
   = Then he stooped down *and untied* the laces of his shoes.

24.5 Subsequent action

When one action is carried out and another follows on from it, the form 'ka (verb) ai' is used.

Nā, me whiu ia e ahau, *ka tuku atu ai.*
   = So, he had best be whipped by me, *released thereafter*

(So, he had best be whipped by me, *and then released*).

Neke atu ki te wāhi hōhonu, *ka tuku iho ai* ā koutou kupenga.

= Move out to the deep place, *then let down* your nets.

24.6 Relative or descriptive clauses

These are similar in principle to those in Lesson 12, but in *past or future* time.

(a) Which/by which/with which:

Ka kōrero ana ākona mo ngā merekara katoa *i kite ai rātou*.

= His disciples talked about all the miracles *that they had seen*.

Nui rawa atu te honore *e whakahonoretia ai* mātou e te Kīngi.

= Great indeed was the honour *with which we were honoured* by the King.

Ko ērā ngā kai *e kai ai ngā manuhiri*.

= Those are the foods *that the guests will eat*.

He aha ngā mahi *e meatia ai* e tōu tuakana?

= What are the jobs *that will be done* by your brother?

Ka hōatu a Īhu ki a rātou he kaha, he mana *e peia ai* ngā rēwera katoa.

= Jesus gave them power and authority (*with which*) to cast out all devils.

Whakaaturia mai ki ahau taua mea *e pai ai koe*.

= Show me that thing you will be pleased thereby

(Show me the thing *that pleases you*).

(b) 'Whom/by whom' (note the differences of meaning depending on whether the verb is in the active or in the passive form):

Ko Patuaka te tangata *e kite ai koe*.

= Patuaka is the man *whom you will see*.

Ko Patuaka te tangata *e kitea ai koe*. = Patuaka is the man *by whom you will be seen*.

Ko ia te wahine *i ako ai au*. = She is the woman *whom I taught*.

Ko ia te wahine *i ākona ai au*. = She is the woman *by whom I was taught*.

Some confusion can occur because, in English, the distinction between the use of 'whom' and 'who' is not always made these days. As well as this, English is usually phrased as active sentences – we would say 'The man who will see you' and 'The woman who taught me', which can be put into Māori in alternative ways set out in earlier lessons.

(c) 'That which':

Although more complex, this construction is usually easy to translate. The possessive adjectives set out in Lesson 8 (see 8.2 and 8.7) can be placed before a clause containing 'ai'. The examples should show more clearly what is meant.

Kia meatia *tāu e pai ai*, ki runga ki te whenua.

  = Let be done *that which you approve*, upon earth.

He aha *tā Mohi i korero ai* ki a koutou?

  = What was *that which Moses said* to you?

Hōatu ki a rātau *tā rātau e hiahia ai*.

  = Give to them *that which they desire*.

Whakaaturia mai *ā te mahita i kino ai*.

  = Tell me *those* (actions) which *the teacher disapproved (of)*.

In English we usually have a choice of using 'what' instead of 'that which', but this does not alter the intended meaning. Note these two forms with the same meaning:

te wahine e kihi ai au
tāku wahine e kihi ai = the woman whom I kiss

24.7 Causes

(a) By what means/by what agency:

  Queries and statements concerning the *cause* of some event or circumstance may call for reference to some agent. In such cases the agent emphatic form is used with 'ai'. It was noted in Lesson 15 that 'nā' and 'i' are associated with past time and 'mā' and 'e' with future time.

Nā te aha koe *i* mākū *ai?*
   = By what means did you get wet? (What made you wet?)
Nā te ngaru nui au *i mākū ai.*
   = It was the big wave I was wetted thereby (The big wave soaked me).

Mā te aha ngā tuna e maroke *ai?*
   = *By what means* will the eels be dried? (How will the eels be dried?)
Mā te auahi ngā tuna *e maroke ai.*
   = *It will be the smoke* the eels *will be dried thereby* (The smoke will dry
   the eels).

Note that the literal 'by what cause/means' may best be expressed in
English as 'how'.

Other examples:

Nā te waimarie mātau *i wini ai.* = *It was by (through) luck that* we *won.*
Mā te manawanui e whakairotia ai te waka.
   = *It will be through perseverance that* the canoe *will be carved.*
Mā tēnei mahi āu e kiia ai koe he tohunga.
   = *By (through) this work of yours you will be called* an expert.

(b) 'Nā reira'/'nō reira':
   These phrases are used, especially in oratory, to mean 'therefore/and so
it is the case that', when some development or conclusion follows on from
some earlier circumstance or statement.

Nā reira tangi ai rātau. = Therefore (and so for that reason) they lament.
Nō reira heke ai te iwi.
   = Therefore (and so for that reason) the tribe migrated.

'Nā reira' or 'nō reira' are used without much consideration as to which is
most proper.
   If some definite action is involved '*nā* reira' would be best: 'the chief was
killed (nā reira) they lament'. In more generalised circumstances '*nō*
reira' could be used: 'the crops failed (no reira) the tribe migrated'.

General causes

Where some general circumstance or inherent condition serves as a cause
from which actions or new circumstances develop, the form 'i/e (verb) ai'
is used.

He tāhae ahau *i haere mai ai koutou* ki te hopu i ahau?
   = Am I a thief *that you (therefore) come* to catch me?
Ā tokorua ā rātou *i whakarite ai*, ko Hohepa rāua ko Matiaha.
   = And two of them *were therefore proposed* (put forward for selection),
   Hohepa and Matiaha.
I rapu ngā tohunga nui i te kōrero mo Ihu *e whakamatea ai.*
   = The chief priests sought a statement concerning Jesus (thereby/by
   which) *to cause his being put to death.*

162

He tere nōu *e wini ai koe.* = You are swift *therefore you will win*
(Because you are swift you will win).
Ko te take tēnā *i hangā ai* te tikanga hōu.
= That was the reason why the new arrangement *was made.*

24.8 Reasons

When we specifically speak of some action being carried out as a necessary
step toward some other action or condition, we use expressions such as 'in
order that', 'so that', 'so as to', 'that...should', 'that...might', etc. In
these cases we use 'kia' just before the verb and 'ai' directly after the verb.

Ka haere a Hōhepa ki Hīruhārama *kia tuhituhia ai* rāua ko tāna wahine ko
Mere. = Joseph set out for Jerusalem *in order that* he and his wife Mere
might be registered (written down).
Karangatia ngā tāngata katoa *kia kī ai* tōku whare. = Call all the people
so that my house *will be full.*
Ka whakatūria te rama ki runga ki te tūranga *kia kitea ai* te mārama e te
hunga e tomo ana. = Put up the lamp onto a stand *so that* the light *may
be seen* by the people who are coming in.
I mahia tēnei mea e rātou *kia rite ai* ngā whakahau a te āpiha.
= This thing was done by them (*so) that* the officer's orders *might be
complied (there)with.*
Ka tonoa e ia a Pita rāua ko Hoani ka mea, 'Tikina te hapa mā tātou *kia
kai ai, kia inu ai* tātou.' = He gave instructions to Pita and Hoani
saying, 'Fetch supper for us *so that* we *may eat and drink.'*

24.9 Question forms that include 'ai'

(a)   The simple question 'why...?' is formed by 'he aha?' (= 'what?')
modified by the inclusion of 'ai' later in the sentence. The literal meaning
is 'what circumstances does this or that arise from?'

He aha koe *i* titiro mai *ai* ki au?
   = *Why* are you looking (why did you look) at me?
He aha a Pita *e* hoki *ai* ā te Mane?
   = *Why* will Peter be returning on Monday?
He aha kōrua *ka* wewete *ai* i te kūao nā?
   = *Why* are you (just setting about) untying that colt?
He aha i pēnei *ai?'* = *Why* was it (meaning some state of affairs) like this?
   (*Why* was this so?)

Note that variations of the verb sign before the verb can indicate the time
as being past, present, future or imminent future. In some cases, where
the time is not specific, the verb sign is left out. For a shortened form of
'why?' we can use 'he aha ai?'

(b) 'Hei aha?' means 'for what use/to serve what purpose?' With 'na te aha' we saw that 'why?' was in some cases the best form of translation. In a similar manner 'hei aha?' (= 'of what use?') followed by a relative clause containing 'ai' can also be expressed as 'why. . .?'

Hei aha ngā moni *i* hōatu *ai* ki a Mākareta?
    = *Of what use* (for what purpose) was the money that was given to Mākareta? (*Why* was the money given to Mākareta?)
Tuaina tēnei rākau tawhito ki raro; *hei aha i* maumauria *ai* te whenua?
    = Cut down this old tree; *why* should the ground be wasted by it (wasted *thereby*)?

(c) *How?*
Two forms that enquire into the means, method or cause of action by which some state of affairs is to be brought about use 'me pēhea' (= 'how like/in what manner?') or 'me aha' (= 'what should (be done)?').

Me pēhea ka whiti *ai* au ki Mokoia?
    = *In what manner* shall I cross to Mokoia? (*How* shall I cross to Mokoia?)
Me pēhea a Hātana *ka* pei *ai* i a Hātana?
    = *In what manner will* Satan cast out Satan? (*How* will Satan cast out Satan?)
Me aha ahau *ka* whiwhi *ai* ki te ora tonu? =
    What must I *do* to obtain eternal life? (*How* shall I obtain eternal life?)

24.10 Negatives

Finally, we have negation of sentences containing the particle 'ai'. There are two ways of doing this, the first being the most common.

(a) 'Kore' is placed before 'ai'.

Nā te waipuke o te awa mātou i *kore ai* e tae mai.
    = It was because of the flooding of the river that we *did not* arrive.
Kua mārenatia ahau; he mea tēnei e *kore ai* e ahei te haere atu.
    = I have married; this is a reason I am *not able* to come (there).

(b) The negative indicator 'tē' is placed before the verb. (This indicator is more common in some other Polynesian languages.)

He aha koe *tē hōatu ai* i taku moni ki te pēke?
    = *Why did you not give* my money to the bank?

24.11

There is also a verb 'ai', with several meanings.

Exercise 24a

1. You had better return to Paki's house, to sleep.
2. On Sundays my mother usually goes to church (to the service).
3. Ngongotaha is the mountain where the Patupaiarehe lived.
4. This is the day when (on which) I depart to Whangarei.
5. Listen to me then answer my questions.
6. I shall give you what you want.
7. We had better work continually so that all these things will be ready.
8. He is the man that Rōpata saw.
9. The house where the girls will stop belongs to Rangi.
10. When did you arrive? When will you return to Auckland?
11. She usually goes to town each day.
12. Owhata is the village where Hinemoa lived.

Exercise 24b

1. I was at the dining hall yesterday.
2. They will listen carefully to the chief.
3. Feeding the hens is her job.
4. Kevin has your book.
5. Whose is the wireless on that table?
6. I know the woman sitting over there.
7. She said to me, 'My parents are very well.'
8. While we were working you were sitting down continually (still sitting down).
9. Give me the needle with which to sew (for sewing) my shirt.
10. Fill this sack with potatoes.

Negatives

There is little that can be said in explanation of the negative forms. They are all collected together here to provide easy reference and to reduce confusion while trying to learn the corresponding positive forms set out in earlier lessons.

When we see 'ehara' or 'kāhore' and its abbreviations 'kāore' and 'kore', we know right away that we are dealing with a negative; but to be able to correctly make a negative sentence we have no alternative to learning each form. Generally speaking, 'ehara' indicates *'is* not', referring to *identity* or *quality*, and 'kāhore' indicates *'does* not', referring to some *action*.

25.1

Firstly we have the negatives of the various *verb* forms. Shown with each is the verb sign of the equivalent positive sentence.

(a)
He does not call. = Ka kore ia e karanga. (Ka...)
He is not calling. = Kāhore ia e karanga ana. (E...ana)
He has not called. = Kāhore ia kia karanga. (Kua...)
He has not *yet* called. = Kāhore *anō* ia kia karanga.
He did not call. = Kāhore ia i karanga (Kīhai ia i karanga). (I...)
He will not call. = E kore ia e karanga (Tērā ia e kore e karanga).
  (E/Tērā...)

'*Me* (karanga ia)' and '(karanga) *ana* (ia)' are rarely used in negative form.

Note that 'ka' and 'e...ana' may be used in past, present, or future context.

(b)   In sentences where the preposition forms 'kei te' and 'i te' are used instead of a verb sign – for example, 'Kei te oma te hōiho' (present) or 'I te oma te hōiho' (past) – the *same* negative form is used for each.

The horse *is* (*was*) *not* running. = *Kāhore* te hōiho *i* te oma.

25.2

Negatives of imperative forms:

(a) Basic form of order or command using a verb root – e.g., 'Karanga!' (= 'Call!'):

Don't call! = Kaua e karanga!
Don't call (them)! = Kaua e karangatia!

Note that the verb itself may be either active or passive; the same negative form applies to each with any given verb sign. This is the case with all the foregoing examples.

(b) 'Kei' means 'lest/in case', and is used in warning against something.

(Take care) you *do not startle* the baby! = *Kei whakaoho* koe i te pōtiki!

(c) 'Kāti' means 'stop (doing that)'.

No singing (cease singing)! = *Kāti* te waiata!

25.3

Negative statements concerning the identity of something:

(a)
That is *not a* pig. = *Ehara* tērā *i te* poaka.
    (This also means 'That is *not the* pig.')
Those are *not pigs*. = *Ehara* ērā *i te poaka*.
Those are *not the* pigs. = *Ehara* ērā *i ngā* poaka.

The similarities of some of these sentences arise from the rule that 'he' cannot follow a preposition, in this case 'i'; 'tetahi' is substituted and is usually shortened to 'te'.

(b) Negative statements concerning a person's identity:

That girl is not Hera. = *Ehara tērā kōtiro i* a Hera.

The nominal particle precedes the name.

Mere is not their mother. = *Ehara a Mere i* tō rāua whaea.
She is not Paki's sister. = *Ehara ia i* te tuahine o Paki.
Matiu was not their teacher. = *Ehara a Matiu i* tō rāua kaiwhakaako.

25.4

Negative statements concerning description or qualities:

This is *not* good. = *Ehara* tēnei *i te* pai.
That man is *not* clever. = *Ehara* tērā tangata *i te* mōhio.
Ruihi is *not* the little girl. = *Ehara* a Ruihi *i te* kōtiro iti.

He is *not* the man I saw. = *Ehara* ia *i* te tangata i kitea e au.
Their house was *not* big. = *Ehara* ō rātou whare *i* te nui.

25.5

Negative statements concerning location – 'is not at (some place)':

He is *not* (was *not*) here. = *Kāhore* ia *i* konei.

This is the negative of 'Kei (I) konei ia'.

Rōpata *is not* (*was not*) at school. = *Kāhore* a Rōpata *i* te whare kura.

25.6

Negative statements concerning possession:

(a)
Hau does not (*did not*) *have* the axe (an axe). = *Kāhore i a Hau* te toki.

This is the negative of 'Kei (I) a Hau te toki'.

(b)   Possession is also shown by this form 'He toki tāna' (= 'He has an axe/He owns an axe'). Here is the negative:

.*He has no* axe (axes). = *Kāhore āna* toki.
They have no house (houses). = *Kāhore ō rāua* whare.

(c)   The axe *does not belong to Matangi*. = *Ehara i a Matangi* te toki.

This is the negative of '*Nā Matangi* te toki'.

(d)   Future location or possession is indicated by 'hei'. The negative equivalents are 'Let not...be at'; 'Let not...have'.

Let not (Don't let) the new house be here.
   = *Kauaka hei* konei te whare hou.
Let not (Don't let) Hōrī have my car.
   = *Kauaka hei* a Hōrī tōku motukā.

25.7

'There is no...' is rendered by 'Kāhore he...'

There is no water in this bottle. = *Kāhore he wai* kei roto i te pounamu nei.
There is no one at the shop. = *Kāhore he tangata* i te toa.
The old cars *had no lamps* (*There were no lamps* on the old cars).
   = *Kāhore he rama* o ngā motukā tawhito.

25.8

Enquiries phrased in negative form:

Did you *not* go to school? (*Didn't* you go to school?)
    =*Kīhai rānei* koe i haere ki te kura?
Are you *not* going? = *Kāhore rānei* koe e haere ana?
Is not Paerau an elder brother of his?
    = *Ehara rānei* a Paerau *i te* tuakana ōna?
Will you *not* both fall together into the water?
    = *E kore rānei* e taka tahi kōrua ki te wai?
Perhaps this *is not* the correct word?
    = *Ehara pea* tēnei *i te* kupu tika?

In old-time Māori, if people were asked 'Did you not go to school' and
they answered 'Yes', they would mean 'Yes, I did not go to school'. If they
said 'No', they would mean 'I *did* go to school'.

25.9

'Without'/'——less' involves using 'kore' as a suffix.

(a)
the Pākehā living *lawlessly* = te Pākehā e noho *turekore* na
Give money to the people *without possessions* (the destitute).
    = Hōatu he moni ki ngā tāngata *rawakore*.
This is a *waterless* land. = He whenua *waikore* tēnei.
whakaarokore = thoughtless
ngākaukore = disheartened/heartless
urikore = without descendants

(b)
ngoikore*tanga* = *state* of debility/lack of strength
rawakore*tanga* = destitution/*state* of being destitute

25.10

'Not for':

This hat is *not for* Haora. = *Ehara i te mea mō* Haora tēnei pōtae.

Sometimes 'i te mea' is not included.

It's not for you to know the time or season.
    = *Ehara mā koutou* te mōhio ki te taima ki te wā rānei.

25.11

'It is not as if/It is not the case that ' (= 'Ehara i te mea'):

It is not as if he were an expert at this work.
= *Ehara i te mea* he tohunga ia ki tēnei mahi.

This idiomatic form looks the same as the previous one, but 'mā' or 'mō' is not included.

25.12

Negation of a neuter verb.

I cannot seize upon any fault of this man.
= *Kīhai i mau i ahau* tetahi hē o tēnei tangata.
He will not be able to tell you. = *E kore ia e āhei* te kī atu ki ā koe.
Not a single pigeon was caught by the servants.
= *Kāore i mau tetahi* kererū i ngā pononga.

25.13

'If. . .is not/does not' (= 'Ki te kore'):

If they do not sit silently the deer will flee.
= *Ki te kore rātou e noho puku* ka omaoma ngā tia.

25.14

'If there were not' (= 'Mehemea kaore (he)'):

If there were no light(s) many ships would be dashed against the rocks.
= *Mehemea kaore he* raiti he maha nga kaipuke e akina ki nga toka.

25.15

Negative of a sentence in the subjunctive mood, using 'kia':

He ordered *that* they *should not* go from Jerusalem.
= Ka whakahau ia *kia kaua* rātou *e* haere atu i Hīruharama.
The woman hid the letters *in order that* the children *might not* know the truth. = Ka huna te wahine i ngā reta *kia kore ai* ngā tamariki *e* mōhio ki te pono.

25.16

Descriptions using negatives:

Adjectival constructions used to describe persons or things can be in negative form.

Give those shoes to *the man who has none.*
  = Hoatu ēna hū ki *te tangata kāhore ōna.*
We had best teach the children *who do not know* the Māori language.
  = Me whakaako tātou i ngā tamariki *kore mōhio* ki te reo Māori.

25.17

Oddments:

Kāo! = No! Kāhore! = No!
I don't know! = Aua hoki!
None at all/all gone! = Kāhore kau!
There is no doubt, what you say is false. = *Kore e kore,* ka teka tāu.
He *never* knew that I was a relative of yours.
  = *Kāhore rawa* ia i mōhio he whanaunga au nōu.

'To deny/reject' is 'whakakāhore'.

Peter *denies* Jesus. = Ka *whakakāhorengia* a Īhu e Pita.

In this example the passive form is used.

'Te korenga' is a noun, and can mean 'the hole', 'the broken piece', 'the void', or 'the loss or absence of something'.

25.18

The negative indicator 'tē'.
This form occurs frequently enough that it should be known, to avoid the struggle to interpret it in some other way. The 'e' is a long vowel.

Why did you *not* speak to me? = He aha koe *tē* kōrero mai ai?
Why do you look to the little chip in your brother's eye, yet *not* see the whole log in your own eye?
  = He aha tāu e titiro ki te otaota i roto i te kanohi o tōu teina, *tē* kite i te kurupae i tōu ake kanohi?

Exercise 25a

1. Don't go to Rua's house.
2. They are not working.
3. He is not my friend.
4. Tūtānekai did not swim to Ōwhata.
5. I have no money.
6. She is not eating your apples.
7. That stick is not strong.
8. This is not my axe.
9. Do not cry. Stop crying.
10. I have not yet eaten.
11. His dog is not a pig-dog.

Exercise 25b

1. If you go to town I shall keep on working.
2. That car belongs to Harry but I do not have a car.
3. Is your watch new?
4. What has happened to your foot? You had better go to hospital.
5. I want you to go to town to buy the tickets for us.
6. She gathered the pūhā. I shall cook it.
7. He is not the man who bought the cabbages.
8. Sunday is the day on which we shall go to Tauranga.
9. The old lady's hens have been fed by Hine.
10. To me, the Māori language is the real language of the Māori people.

LESSON 26

Oral Practice

For this lesson you must ask a Māori-speaking friend to help you. Each photograph is provided with questions in Māori and model answers. All the forms used have already been dealt with in earlier sections, particularly Lesson 21.

When you have worked through all the photographs, you will be able to ask questions about any other picture, about what things are in the room, what you can see outside, or about any subject you wish.

The full range of question forms are provided so a Māori speaker helping you just needs to have a good imagination to make up fresh examples.

Normally a reply takes the same form as the question, but if, for example, your friend is holding a book and asks 'He aha tēnei?' you should answer 'He pukapuka tēnā'. Similarly, 'He aha enei?' – 'He kapu ena' – but for something in the distance it would be 'He aha tērā?' – 'He rakau tērā.'

Remember that a statement can be used as a question if an enquiring tone of voice is used. 'He reka ena āporo?' can mean 'Are those apples sweet?'

If the question word 'rānei' is used, it will be quite clear that a question is intended: 'He nui rānei tōu whare?' means 'Is your house big?'

Please note that in working with these photographs it has been necessary for me to use my own imagination to get a wide range of instructional value from them, so if a situation or place is, in reality, different from what I describe, or if you find I have made up a name for someone, I do hope I will be excused for this. In a way it is only like taking part in a sketch in order to help others to learn Māori, and if it were possible I should like to thank everyone who appears in these photographs.

Photograph 1 (page 21)

About identity:

He aha tēnei?	He tangata.
He aha tēnei?	He pēpi (pōtiki).
Ko wai tēnei tangata?	Ko Ngātoro.
Ko wai te ingoa o te pēpi?	Ko Tui tōna ingoa. Ko ia te mokopuna a Ngātoro.
He aha a Ngātoro?	He koroheke. He kaimahi pāmu. Ko ia te tipuna o Tui.
He aha tēnei?	He pene.
He aha tēnei; he tiki pounamu tēnei?	Kahore (kao). Ehara tēnā i te tiki. He mea paraoa tēnā.

About location:

Kei hea rāua?	Kei te taone. Kei roto rāua i te toa nui.

About action:

E aha ana a Ngātoro?	E hikihiki ana a Ngātoro i te pēpi.
Kei te aha a Tui?	Kei te titiro ia ki ngā tangata katoa.

About possession:

Na wai te pēpi nei?	Na Paki rāua ko Jean.

About quality:

He tamaiti pai (ranei) a Tui?	Ae, he tamaiti tino pai a Tui.

Photograph 2 (page 26)

About identity:

Ko wai ma ēnei tamariki?	Ko Ruihi ma. Ko Ruihi rātou ko ōna hoa.
He aha tēnei?	He pereti nui.
He aha kei runga i te pereti?	He keke, he pihikete (he aha, he aha) kei runga i te pereti.
He aha tēnei?	Ko tōna poraka (kakahu) hou tēnā.
He aha tēnei?	Ko tēnā tōna ringaringa.
He aha tēnei?	Tōna taringa.

About location:

Kei hea nga tamariki?	Kei te pāti (hakari) rātou.
Kei hea rātou e noho ana?	Kei runga rātou i te nohoanga, e noho ana.

About action:

Kei te aha ngā tamariki?	Kei te tatari ngā tamariki ki te kai.
Kei te aha te wahine?	Kei te hōatu ia i ngā rare, pihikete ranei, ki ngā tamariki.

About time:
Ko te aha tēnei ra?

Ko te Wenerei tēnei. Ko tēnei te ra huritau o Ruihi.

About quantity:
Tokohia ngā wāhine?
Tokohia ngā tamariki?

Kotahi te wahine.
Tokorima ngā tamariki.

About distinction:
Ko tēhea tamaiti te hoa o Ruihi?

Ko Maria te hoa o Ruihi.

About quality:
Kei te hiakai ngā tamariki?

Ae, he tamariki tino hiakai rātou.

Photograph 3 (page 31)

About location:
Kei hea ngā tāngata?

Kei roto rātou i te whare runanga.

About identity:
Ko wai rātou?

Ko Ropata rātou ko Monika ko Huria.

He aha a Rōpata?
He aha a Monika rāua ko Huria?
He aha tēnei?
He aha ēnei mea?
He aha tēnei?

He manuhiri a Rōpata.
He manuhiri hoki rāua.
He tukutuku tēnā.
He pou.
He peke. Ko tēnā te pēke a Rōpata.

About action:
E aha ana a Rōpata?
E aha ana a Monika rāua ko Huria?
I haere mai rātou i hea?
Kei te aha a Rōpata rātou ko ngā wāhine tokorua?

E titiro ana ia ki te kaikorero.
E kata ana rāua.
I haere mai rātou i Hamutana.
Kei te whakarongo rātou ki ētahi o ngā kaumatua o te tangata whenua.

About possession:
Nā wai te pēke nei?
Nō wai ma te wharenui?

Nā Ropata tēnā pēke.
Nō te tangata whenua katoa.

About quality:
Kei te koa, kei te pouri rānei a Monika?

Kei te koa, nā te mea he hui tino āhuareka tēnei.

About time:
Nōnahea rātou i tae mai ai?

I te ahiahi. I te toru o ngā haora rātou i tae mai ai ki tēnei marae.

About quantity:
Tokohia ngā wāhine i roto i tēnei whakaahua?

Tokorua ngā wāhine.

About reason:
He aha rātou i haere mai ai?

Kua haere mai rātou ki te hui nui.
Mō te reo Māori taua hui.

About distinction:
Ko tēhea o ngā wāhine te mea
pai atu ki te korero i te reo Māori?

Ki ahau, ko Huria te wahine pai
atu ki tēnā mahi.

Photograph 4 (page 36)

About identity:
Ko wai tēnei wahine?ʻ
Ko wai tetahi atu wahine?
He aha tēnei?
He aha taua kupu Māori?
He aha tēnei?
He aha tēnei?

Ko Donna tōna ingoa.
Kāhore ahau e mohio ana ki a ia.
He kupu Māori.
'Kia'; 'Kia ora' pea.
He tēpu nui.
He kotiro.

About location:
Kei hea rātou katoa?

Kei te wharekura. Kei roto rātou i
te ruma o Donna.

Kei hea ngā pukapuka?

Kei runga i te tēpu ngā pukapuka
or, Kei runga ngā pukapuka i te
tēpu.

About action:
Kei te aha a Donna?

Kei te awhina ia i ngā tamariki ki te
korero pukapuka.

E korero ana a Donna ki a wai?

E korero ana ia ki tēnā tamaiti, ki
tēnā tamaiti.

About quantity:
E hia ngā pukapuka i runga i te
tēpu?

E rima ngā pukapuka i runga i te
tēpu.

About quality:
He aha te kara o ngā makawe o te
kotiro nei? ('Makawe' = head of
hair' always uses 'ngā' not 'te'.)

He pango (mangu) te kara o tōna
makawe. Tino ataahua ngā makawe
o te wahine Māori.

About possession:
Nā wai ngā pukapuka?

Nā ngā tamariki.

Photograph 5 (page 41)

About location:
Kei hea te rōpū?

Kei Ohinemutu te rōpū.

About possession:
No hea tēnei rōpū?

No Ngati Rongonui rātou.

About identity:
He aha tēnei?
He aha tēnei?
He aha tēnei?
He aha tēnei?
He aha tēnei?
He aha tēnei?

He rōpū whakataetae mahi Māori.
He piupiu.
He pare.
He tipare.
He korowai.
He huruhuru huia; ki ētahi he raukura te ingoa.

Ko wai te kaiwhakahaere o tēnei ope?

Ko Hine te kaiwhakahaere. He tino rangatira a Hine.

About action:
Kei te aha rātou?

Kei te waiata-a-ringa rātou. E manaakitia ana ngā manuhiri e rātou.

About time:
Ko te aha tēnei wā?

Ko tēnei te wā i tae mai ai te minita hōu.

About reason:
He aha te minita i haere mai ai?

He hiahia nōna ki te korero ki te iwi. Kua haere mai ia kia timataria ai tōna mahi hōu.

About distinction:
Ko tēhea wahine te kaiwhakahaere o te ope nei?

Ko tērā wahine rangatira, ko Erihapeti, te kaiwhakahaere.

About quality:
Ki ā koe, he pai (rānei) o rātou kakahu?
Ka pai rātou ki te waiata?

Ae, (he) tino pai rawa. Tino ataahua.
Ae, ka pai. He tino reka a rātou waiata.

About quantity:
Tokohia ngā wāhine o tēnei rōpū?

Tekau ma wha ngā wāhine.

Photograph 6 (page 47)

About location:
Kei hea ngā tāngata?
Kei hea te kaikorero?
Kei hea ngā kaumātua?

Kei te marae.
Kei mua ia i te whare runanga.
Kei runga rātou i te paepae, e noho ana.

About action:
E aha ana ngā tāngata whenua?

Nā wai ngā mihi ki ngā manuhiri?

E tatari ana rātou kia tae mai o rātou manuhiri.
Nā te rangatira, nā Piripi, ngā mihi.

About time:
Ahea ngā manuhiri e tae mai ai?

A te tekau karaka rātou e tae mai ai.

About identity:
He aha ēnei?
He aha ēnei?
He aha tēnei?
Ko te aha tēnei?

He maihi.
He amo.
He kowhaiwhai.
Ko te poutahu tēnā.

About quality:
He (ka) pai a Piripi ki te whai korero?

Ae, he tohunga ia ki te whai korero.

About quantity:
Kei tēnei marae, e hia ngā whare whakairo?

E rua.

About reason:
He aha te take i huihui ai ēnei tangata katoa?

Kahore ahau e mohio ana ki te tino take.

Photograph 7 (page 52)

About location:
Kei hea a Heke rātou ko ōna hoa?

Kei waho rātou, kei te mara.

About identity:
Ko wai ngā hoa o Heke?

He aha tēnei?
He aha tēnei?
He aha a Katarina ki a Emere?
He aha a Monika ki a Katarina?

Ko Emere rātou ko Monika ko Katarina.
He hei matau tēnā.
He rourou.
Ko Katarina te tamahine a Emere.
Ko Monika te tuakana o Katarina.

About action:
Nā wai te rourou i whatu?
Mā wai ētahi atu rourou e whatu?

Nā Heke te rourou i whatu.
Mā rātou katoa.

About quality:
He nui he iti rānei te rourou i whatua e Emere?

Tino nui taua rourou.

About possession:
Nā wai te hei matau?

Mā wai ēnei rouro?

Nā Emere. He taonga nā te Māori
ngā mea pounamu katoa.
Mā o rātou hoa.

About reason:
Hei aha ngā rourou?

Hei pereti mo ngā kai i roto i te
hangi.

About distinction:
Ko tēhea o ngā wāhine tokorua
te whaea o Monika rāua ko
Katarina?

Ko Emere to rāua whaea. Ko Heke
tō rāua whaea kē.

About time:
Ko te aha tēnei ra?

Ko te Hatarei, ko te Ra Tapu rānei
tēnei ra, nā te mea kahore ngā
kotiro i te wharekura.

Photograph 8 (page 59)

About identity:
Ko wai ēnei tāngata?
Ko wai ēnei atu tāngata?
He aha tēnei?
Na, he aha tēnei tū kete?
Ko wai tēnei tangata, te rangatira o
ngā manuhiri?

Ko ngā tāngata whenua.
Ko ngā manuhiri tūārangi.
He kete pai rawa.
He kete whakairo tēnā.
Ko Tanekaha tōna ingoa. He
tangata tino mohio ki te kawa o
tēnei marae.

He tikanga Māori te hui?

Ae, he tino tikanga Māori te hui.

About possession:
Na wai tēnei kete?

Na Lois. I hōmai tēnā kete ki ā ia e
tōna hoa, e Huria.

About action:
Kei te aha rātou?

Kei te mihi ngā tāngata whenua ki
ngā manuhiri.

Kei te aha ēnei wāhine tokorua?

Kei te hongi rāua. Ko tēnā tetahi
atu tikanga Māori.

Kei te aha rāua?
I haere mai ngā manuhiri mā runga
aha?

Kei te awhi rāua ki a rāua.
I haere mai rātou mā runga pahi.

About quality:
Kei te pehea ngā manuhiri?

Kei te tino ngenge, kei te hiakai
hoki rātou.

Nā wai tēnei kete whakairo i
whatu?

Nā te hoa o Lois, nā Huria tēnā
kete i whatu.

Ki au whakaaro he kākahu mahana tēnei?

Ae, tino mahana. He pai atu tēnā i tōku kākahu.

About location:
Kei hea rātou e huihui ana?

Kei Te Rakau. Kei mua rātou katoa i te whare karakia.

About time:
He aha te tāima?

He koata pāhi i te tekau karaka te tāima inaianei.

Ko te aha tēnei rā?

Ko te rā tēnei e moe ai a Patuaka ki a Mona.

About quantity:
He nui he iti rānei tēnei hui?

Nui rawa. Kotahi rau pea ngā tāngata i huihui mai.

About distinction:
Ko tehea wahine te hoa wahine o Tanekaha?

Ko Huia tōna hoa wahine.

About reason:
He aha rātou katoa i huihui ai?

Ka huihui rātou ki te whakanui i te marena, kia tautokona ai te wahine marena hou, tane marena hou hoki.

Photograph 9 (page 65)

About location:
Kei hea rātou?

Kāhore ahau e mohio ana kei hea rātou. Engari, kei roto rātou i te rūma.

Kei hea te tamaiti?

Kei raro te tamaiti i te paraikete.

About identity:
He aha tēnei mea?
He aha tēnei?

He kitā tēnā.
He rite anō tēnā ki te niho puta o te poaka nui, o te poaka tāriana.

Ko te aha tēnei wahine?
Ko te aha tēnei?

Ko ia te whaea o tēnā tamaiti.
Ko ōnā pāhau ēnā.

About quantity:
Tokohia ngā wāhine?
He aha te utu o tēnei kitā?

Tokorua (ngā wāhine).
E waru tekau tāra te utu o tēnā kitā.

About action:
E aha ana tēnei wahine?

E whakatangi kitā ana tēnā wahine (E whakatangi ana ia i te kitā).

E aha ana rātou katoa?

E waiata ana rātou katoa.

About quality:
Ki ā koe, he tangata atawhai tēnei?

Kei te pehea a rātou waiata?

About possession:
Kei a wai te kitā?
Nō wai tēnei paraikete?

About distinction:
Ko tēhea te wahine e mohio ana ki te whakatangi kitā?

About reason:
He aha ēnei tāngata i haere mai ai?

Ae, nā te mea kei te awhina ia i te wahine ki te mau i tāna kitā.
He tino reka te waiata.

Kei Monika te kitā.
Nō tēna wahine ataahua. Nā tōna hoa tane i hoko mai.

Ko tēnā wahine. Ko ia te tuahine o Rōpata.

Kua haere mai rātou kia manaaki ai o rātou hoa katoa.

Photograph 10 (page 77)

About action:
E aha ana ēnei tāngata tokorua (e rua)?
Kei te aha tēnei Watene Māori?

E aha ana ērā tāngata?

Kei te aha etahi atu tāne?
Nā te aha ngā kai i tao?

Mā wai ēnei kai e kai?

About quality:
He nui tēnei hui?

About time:
He aha te tāima?

About reason:
Hei aha ēnei kai katoa?
He aha te take i tu ai tēnei hui?

About identity:
He aha ēnei wāhine?
He aha ēnei mea?

E hapai ana rāua i ngā kai i roto i te hāngi.
Kei te tiaki ia i ngā kai katoa. He mahi tino nui tēnā.
E mau ana rāua i ngā kai ki te wharekai. Tino taumaha aua kai.
Kei te tu noa iho rātou.
Nā te wera o ngā kōhatu umu ngā kai i tao.
Mā ngā manuhiri, mā te iwi katoa.

Ae, he nui rāwa. He tino hakari tēnei.

Tekau mā rua te tāima. Ko te tāima tina inaianei.

Hei whangai i ngā manuhiri katoa.
He mahi moni mā tētahi haerenga te take o tēnei hui.

He Watene Māori rāua.
He peke huka ēna mea mō runga mō (i) ngā kai (i roto i te hāngi).

He aha ngā kai?

He mīti poaka, he heihei, he riwai, he kumera, he puakena, he aha he aha.

Ko wai mā ēnei tāne nunui?

Ko Hika mā rātou. Ko rātou ngā mema o te Rōpū Putupaoro.

Ko wai te kaiwhakahaere o tēnei hāngi?

Ko Eruera te kaiwhakahaere. He tino mōhio ia ki te mahi hāngi.

He aha tētahi atu kupu mō te hāngi?

He umu tētahi atu ingoa mō te hāngi.

He aha ngā mea i raro i ngā kai i roto i te hāngi?

He kōhatu nui, he kōhatu umu.

About location:
Kei hea te umu nei?

Kei muri te umu i te wharekai (kei muri i te wharekai te umu).

About possession:
Na wai ēnei hapara?

Na te Komiti o te Marae ēnā taputapu katoa.

About distinction:
Ki ā koe ko tēhea te kai pai atu, te kai reka atu i roto i te hāngi?

Ki ahau he mīti poaka te kai reka atu.

About quantity:
Tokohia ngā tāngata e mahi ana?

Tokowha. Tokowha rātou e mahi kai ana.

E hia ngā motukā kei roto i te whakaahua nei?

Kotahi te motukā.

Photograph 11 (page 83)

About location:
Kei hea ēnei wāhine, kotiro rānei?

Kei waho rātou, kei te taha o te whare kai. Kei mua hoki rātou i te taraka.

Kei te noho rātou i runga i ngā aha (i runga aha)?

Kei te noho rātou i runga i ngā pouaka nui.

About action:
Kei te aha ēnei kotiro?

Kei te mahi kai rātou. Kei te waru rātou i ngā rīwai. Kei te korerorero hoki rātou mō te hui.

I haere mai rātou ki konei mā runga aha?

I haere mai ratou mā runga pahi.

182

About quality:
He pai rātou ki tēnei mahi?

Ae, he kaha, he tino tere hoki rātou ki tēnā mahi, nā te mea tino waia rātou ki te mahi kai.

He mahi ahuareka tēnei? (He ahuareka rānei te mahi nei?)

Kao, he tino *hoha* rātou katoa *i* tēnei mahi.

About quantity:
E hia ngā peke rīwai kei reira?

E toru ngā peke rīwai, tekau ma rima kapeti hoki.

About identity:
E waruhia ana ngā rīwai *ki* te aha?

E waruhia ana ngā rīwai *ki* te naihi, *ki* te anga pipi rānei.

He aha ēnei mea?

Kahore ahau e mohio ana ki te ingoa Māori o ena mowhiti pango.

Ko wai mā ēnei kōtiro?

Ko Robin mā. Ko tētahi o rātou te tamahine a te tumuaki o te kura.

About time:
Nōnāhea rātou i timata ai tenei mahi?

Nō te iwa o ngā haora o te ata rātou i timata ai.

About possession:
Nō Henare (pea) tērā taraka?
Kei ā wai te taupaki hou?

Kao, ehara i ā Henare tērā taraka.
Kei tēnā kotiro, kei a Tina te taupaki hou.

Mā wai ngā rīwai?

Mā Eruera rātou ko ngā ringawera.

About distinction:
Ko tehea o rātou te tuahine o Roger?

Ko Horiana. Ko ia te tuahine o Roger.

Ko tehea te mahi pai atu, ko te waru rīwai ko te kai rīwai rānei?

Kore e kore, ko te kai te mahi pai atu!

About reason:
He aha rātou i haere mai ai?

Na te mea e pai ana rātou ki te tūtaki ki ō rātou whanaunga, ki ō rātou hoa katoa.

Photograph 12 (page 88)

About action:
E mōhio ana koe ki te tangata nei?
Whakahuatia mai tōna ingoa?

Ha! e mōhio ana ahau ki ā ia.
Ko Dalvanius Māui Prime tōna ingoa.

E aha ana a Dalvanius rāua ko tōna hoa?

E noho ana, e korero ana, e kata ana rāua.

Kei te aha te hoa o Dalvanius?

Kei te kai hikareti te hoa o Dalvanius.

About location:
Kei hea ēnei tangata tokorua?

Kei te whare runanga rāua. Kei runga i te paepae e noho ana.

I hea rāua inanahi?
Kei hea te kāinga o tēnei rangatira, o Dalvanius?

I Whanganui rāua.
Kei Patea tōna kāinga.

About quality:
Kei te pehea a Dalvanius?

Kei te koa, kei te hari o tātou hoa. Kei te menemene ia. Engari kāhore tōna hoa e kata ana.

About possession:
Kei ā wai ngā māti?

Kei tēnā tane ngā māti. Kāhore a Dalvanius i te kai hikareti.

Nō hea tēnei tangata rongonui?

Nō Taranaki.

About time:
Ahea rāua e hoki atu ai ki te kāinga?

Āpōpō, a te Tūrei rātou e hoki ai ki te kāinga.

About quality:
E pai ana tēnei tangata ki te aha?

E pai ana ia ki te waiata. Ka waiata ia i te waiata Maori, i te waiata Ingarihi (Pakeha) hoki.

About identity:
He aha ēnei mea e rua e titiro mai ana?
He aha a Dalvanius?

Ko ēna ngā kanohi (karu) paua o te poupou.
Ko ia te kaiwhakahaere o te rōpū Māori e kiia ana ko te Patea Māori Club.

He aha tētahi o ngā waiata o taua rōpū?
He aha tōna hoa?

Ko 'Poi E' te ingoa o tā rātou waiata rongonui.
He tohunga ia ki te whakatangi pūtaratara. He tino kaiwaiata hoki.

About reason:
He aha tōna hoa i titiro mai ai ki a ia?

Nō te mea he tane whakangahau a Māui, ā, kei te whakarekareka tonu ia.

Photograph 13 (page 95)

About quality:
Tirohia tēnei whakaahua. He makariri rānei te wahine nei?

Ae, he āhua makariri te wahine rāua ko tānā tamaiti.

About reason:
He aha koe i mōhio ai ki tēnā?

Nā te mea kei te mau paraikete rāua.

About action:
E aha ana a· Pōtiki?

E matakitaki ana ia ki ētahi tamariki e takaro ana.

E titiro ana tēnei wahine ki ā wai?

E titiro ana ia ki te tangata tango whakaahua.

Nā wai i hoko mai ngā hū o Hinemoa (Nā wai ngā hū o Hinemoa i hoko mai)?

Nāna ngā hū i hoko mai.

About identity:
He aha tēnei mea i runga i te upoko o tēnei wahine?

He potae.

Ko wai te ingoa o tēnei wahine?

Ko Irihapeti tōna ingoa. He rite ano tōna ingoa ki tō te Kuini.

He aha a Irihapeti ki a Hinemoa?

Ko ia te tuakana o Hinemoa.

Ko wai te wahine nōna te potae?

Ko te whaea, ko Hinemoa. Kei ā ia te potae.

About quality:
He hou ngā hū o Hinemoa?

Ae, he hou.

He aha te kara o ōna tōkena?

He mā (te kara).

About quantity:
He aha te utu o ngā hū hou mō Hinemoa?

E rima tekau ma toru tara te utu.

E hia ngā tau o tāna potiki?

Tino nui te utu o te hū hou.

E rua ōna tau.

About possession:
Titiro ki a Irihapeti. He potae tōna?

Kao, kāhore ōna potae.

About location:
Kei hea a Pōtiki?

Kei raro ia i te paraikete. Kei runga ia i te pono o tōna whaea.

About time/distinction:
Ko tēhea tēnei o ngā rā o te wiki?

Ko te Hatarei tēnei rā. Te tuarua o ngā rā o Hūne.

Photograph 14 (page 100)

About identity:
He aha tērā?

He waka nui, he waka roa.

He aha tēnei tū waka?

He waka hera. He waka unua te ingoa tika.

Ko wai te ingoa o tērā waka?

Ko Hawaikinui te (tōna) ingoa.

He aha tērā whare, kei kōrā?

Kahore ahau e mōhio ana he aha tērā whare.

Na, he aha ērā rakau?

He pohutukawa.

He aha ērā mea i roto i ō rātou ringaringa?

He hoe ērā mea.

Ko wai te 'atua o te moana nui, o ngā ika katoa?

Ko Tangaroa.

Ko wai te atua o ngā hau o te rangi?

Ko Tawhirimatea.

About action/location:
I rere (tere) mai te waka nei i hea?

I rere (tere) mai te waka i Tahiti.

About action/identity:
Kei te mōhio koe, he aha Tahiti?

He motu. Ko Tahiti tētahi o ngā motu i waenganui i (o) te Moana-nui-a-Kiwa.

About action:
Nā wai te waka i whakatere mai?

Nā te kapene, nā te tohunga i whakatere te waka. He rangatira rāua e mōhio ana ki ngā whetu katoa, ki ngā ngaru o te moana hoki.

Kei te aha ērā tāne?

Kei te horoi, kei te whakatikatika rātou i te waka.

About location:
Kei hea te whenua e kīa ana (ko) Hawaikinui?

Kahore he tangata e mōhio ana ki tēnā. Ko Hawaikinui te kāinga tuatahi o te iwi Māori.

Ko hea tēnei wāhi?

Ko Kohimarama rānei.

About possession:
Ko wai mā ngā tāngata nōna tēnei waka?

Nō ngā tāngata o Tahiti tērā waka. Ko rātou ngā tāngata nōna taua waka.

About possession/location:
He mihine kei roto i tēnei waka?

Kao, kāhore he mihine o (kei roto i) tēnei waka.

About quality:
He roa te haerenga mai o Hawaikinui?

Ae, tino roa te haerenga mai i ngā motu.

He tere tēnei tū waka?

Ka tika tēnā, tere rawa te haere o tēnei tū waka.

He rite anō tērā waka ki te aha?

He rite anō a Hawaikinui ki ngā waka tipuna o te iwi Māori o Aotearoa. He rite anō te waka nei ki Te Arawa, ki Mataatua, ki ētahi atu waka rongonui.

About quantity:
He aha te roa o ngā takere (hull) e rua?

Ki ahau, tekau mā tahi mita te roa.

About time:
E hia ngā marama i rere mai ai a Hawaikinui ki kōnei?
Nonahea te iwi Māori i heke (migrate) mai ai ki tēnei whenua, ki Aotearoa?

E toru, e wha rānei ngā marama o te haerenga mai.
I ngā rā o mua i heke mai ai ngā waka tipuna o te Māori.

About distinction:
Ko tehea te rakau i mahia (hangā) ai ēnei waka tawhito?

Ko te totara te rakau pai atu hei mahi (hanga) i te waka.

About reason:
He aha rātou i whakarite ai te waka?

Ka whakapai rātou i te waka kia hoki atu ai rātou ki tō rātou anō whenua.

Hei aha ngā hoe?
He aha ngā tipuna Māori
i haere mai ai ki Aotearoa nei?

Hei tia, hei hoe i te waka.

I haere mai rātou kia kimi whenua ai, ā, ka kite rātou i te kāinga hou mō rātou anō.

Now it is best if you look at the remaining photographs in the book and consider what questions you are able to ask about each one. Ask a Māori friend to listen to your own questions, and then try to follow their replies.

You can also use this method to write a story, by asking yourself the same sorts of question.

A story is about what is being done, who is doing it, and where or when they are doing it. For example:

(When) Today is Saturday. = Ko te Rā Horoi tēnei rā.

(Where) Everyone is at the beach. = Kei taitahi ngā tāngata katoa.

(What doing) The children are swimming. = Kei te kauhoe ngā tamariki.

Some are gathering pipis. = Kei te kohikohi pipi ētahi.

Hone is chasing his dog. = E whai ana a Hone i tāna kurī.

(Who has) Mother has the food. = Kei te whaea ngā kai.

(Who owns) That car belongs to Rōpata and Mere. = Nō Rōpata rāua ko Mere tērā motuka.

(How many) There are three big birds on those rocks. = E toru ngā manu nunui i runga i ērā toka.

There are two girls on (note: always use 'on' when referring to any sort of vehicle or conveyance) the small boat. = Tokorua ngā kotiro i runga i te poti paku.

(Which) The red towel is Paki's towel. = Ko te tauera whero te tauera a Paki.

(What like) This place is very clean. = He tino mā tēnei wahi.

(Why) It is because of the fine weather that they have come to the beach. = Nā te pai o te rangi nei i haere mai ai rātou ki tatahi.

ANSWERS TO EXERCISES

If you get anything wrong, refer to the section whose number is given alongside each answer.

Exercise 1

1.	ēnei pukapuka	
	ngā pukapuka nei	1. 9
2.	aua wāhine	1.11
3.	he āporo nui, he āporo reka	
	he āporo nui, he mea reka	1. 5
4.	te nui	1. 7
5.	te hoa	1. 2
6.	ēnei tamariki katoa	1.12
7.	ērā maunga	
	ngā maunga rā	1. 9
8.	ēnā ika nui (nunui)	1. 9, 1. 4
9.	te kino	1. 7
10.	taua hipi	1.11
11.	ngā manu	1. 2
12.	tēnā tūrū	
	te tūrū nā	1. 8
13.	he wai	1. 1
14.	he toki	1. 1
15.	tērā motukā tere	1.10
16.	he wahine ataahua	1. 3

Exercise 2a

1.	He kawa te rēmana.	2. 5
2.	He pai tēnei pukapuka.	2. 3
3.	He pukapuka ēnei.	2. 1
4.	He mā tēnei whare.	2. 2
5.	Ko Hera te kōtiro mōhio.	2. 9
6.	He kino ērā kurī nunui.	2. 4
7.	Ko wai mā ērā tāngata?	2.12
8.	Ko te rākau tērā.	2. 6
9.	He tēpu tēnā.	2. 1
10.	He ika roa tenei ika.	2. 3

11. He kurī ērā.	2. 1
12. Ko ēnei ngā pukapuka.	2. 7
13. Ko wai tēnei tamaiti?	2.11
14. Ko Te Tohi te tohunga.	2. 9
15. He kererū tērā manu ataahua.	2. 4
16. He rōia tērā tangata.	2. 4
17. He nui te hōiho.	2. 5
18. He kurī nui (nunui) ēnei.	2. 3
19. He hōia a Hēnare.	2. 8
20. Ko te rangatira rongonui a Te Heuheu.	2. 9
21. He wūru tēnei kākahu.	2. 4

Exercise 2b

1. he manu	1. 1
2. he toki pai	1. 3
3. he pukapuka tino pai	1. 6
4. ngā tamariki anake	1.12
5. aua waka	1.11
6. he āporo papai (pai)	1. 4
7. te rākau nui te rākau (mea) ataahua	1. 5
8. te mā	1. 7
9. tēnā tēpu	
te tēpu nā	1. 8
10. ēnei pukapuka whero	1.10

Exercise 3a

1. Kua tuhituhi a Hōne.	3. 8
2. Kua kai ēnei tamariki.	3. 2
3. I karanga te kuia.	3. 3
4. E kai ana a Monika.	3. 8
5. Ka moe ahau.	3. 9
6. Ka waiata ērā kōtiro.	3. 5
7. E kai ana a Hōne mā.	3.13
8. I kitea ngā tāngata.	3. 7
9. Me haere ngā tāngata.	3. 6
10. Kua pūhia te manu nui.	3. 7
11. I arohaina a Hinemoa.	3.11
12. Me noho koe.	3. 9
13. I karanga a Hine.	3. 8
14. Kua noho a Hine rāua ko Mere.	3.13
15. E kōrero ana rātou (rāua).	3. 9
16. E oma ana ngā hōiho.	3. 4

Exercise 3b

1. Ko tērā te whare karakia.	2. 7
2. He kaha te hōiho.	2. 5
3. He tino nui tēnā āporo.	2. 2, 1. 6
4. Ko wai tērā wahine? Ko Mere.	2.11
5. He tangata pai a Hēnare.	2. 8
6. He mā te whare.	2. 2
7. tērā maunga nui	1.10
8. He kōtiro ataahua tērā.	2. 3
9. He tino pai aua tamariki.	1.11
10. Ko ēnei ngā kapu katoa.	1.12

Exercise 4a

1. Kua tuhituhia ngā reta e te kōtiro.	4. 2
2. I waiata a Kiri i ngā kupu.	4. 1
3. I waiatatia te waiata e te tamaiti.	4. 2
4. Ka ārahi ia i te wahine.	4. 1
5. E mahara ana ahau ki taua tangata.	4. 4
6. Ka hoko tātou i etahi tauera hōu.	4. 6
7. I whāngai mātou i etahi hōiho.	4. 6
8. I hanga ia i te whare hōu.	4. 1
9. Ka whakahoki rātou i te waka.	4. 8
10. I mōhio rātou ki ahau (a au).	4. 4, 4. 7
11. Kua patua ngā manu e Hēnare.	4. 2
12. E mōhio ana ahau ki a rātou.	4. 6
13. E kai ana a Hine i te āporo.	4. 6
14. I kite ia i te poaka.	4. 1

Exercise 4b

1. māua	3.12
2. He tangata pai a Hōne.	2. 8
3. koutou	3.12
4. ēnā (ērā) āporo tino nui	1. 6
5. he motukā nui, he motukā (mea) tere	1. 5
6. E moe ana a Hine.	3. 8
7. E horoia ana ēnei kapu paru.	3. 7
8. rāua	3.12
9. E mahi ana a Mere rāua ko Monika.	3.13
10. He nui tērā whare.	2. 2

Exercise 5a

1. Kua tīmata rātou ki te kai (i ngā kererū).   5. 9
2. E whawhai ana a Hēnare ki a Hēmi.   5. 3
3. I kite ia i te (tetahi) manurere nui.   5. 4
4. E titiro ana ngā kōtiro ki ngā manu.   5. 3
5. I karanga ia ki a Jack. I karanga ia i ngā kurī.   5. 5
6. Kua haere ngā tane (tāngata) i tenei kāinga.   5. 1
7. He whānui te awa i Whanganui.   5. 7
8. He pai ngā tamariki ki te whāngai i ngā heihei.   5.10
9. Me titiro tātau (tāua) ki etahi pukapuka pai.   5. 4
10. Ka noho ia ki Tauranga.   5. 8
11. I haere ngā tamariki ki te awa.   5. 2
12. Ka noho au ki te tuhituhi ki a Hine.   5. 9, 5. 3
13. I kōrero ia ki te hōiho.   5. 3
14. Ka waiata rātou ki ngā manuhiri.   5. 3

Exercise 5b

1. Kua whakahoki rātou i ngā mea katoa.   4. 8
2. Ko tēnei te whare kai.   2. 7
3. He kōwhai ērā puāwai.   2. 2
4. he kurī nui, he kuri (mea) pango   1. 5
5. ēnei tamariki tino pai   1. 6
6. Me oma kōrua.   3. 6, 3.12
7. E moe ana a Hine.   3. 8
8. Kua whangaia ngā heihei e te kuia.   4. 2
9. I kite rāua i te (tetahi) kiwi.   4. 6
10. Ka horoia ngā kākahu e Mere mā.   4. 2, 3.13

Exercise 6a

1. E horoi kākahu ana a Mere.   6. 2
2. I kite ahau i ngā kōtiro e patua ana e te tamaiti tāne.   6. 4
3. Te hēpara e titiro ana ki ngā hipi.   6. 4
4. Ko rātou te rōpū kutikuti hipi.   6. 1
5. Ngā kupu e kōrerotia ana.   6. 3
6. I kite ahau i te tama e patu ana i ngā kōtiro.   6. 4
7. te wahine e awhinatia ana e ngā kōtiro   6. 4
8. Ko Tai te tangata whakatangi piana
(te kaiwhakatangi piana = the pianist).   6. 1, 23.9
9. Ko ia te māhita i haere ki Kānata.   6. 7
10. te tamaiti e tangi ana   6. 3
11. I karanga māua ki ngā tamariki e haere rā.   6. 5
12. He pono ngā kupu kua kōrerotia e koe.   6. 7
13. He pai te kurī iti e noho nā.   6. 5
14. I te puhipuhi manu ahau.   6. 2

Exercise 6b

1.	He tino pai a Kura ki te tuitui.	5.10
2.	Kua haere (mai) tātou katoa i Ākarana.	5. 1, 11.1
3.	E moe ana ia.	3.10
4.	Ko wai mā ērā wāhine?	2.12
5.	Ko tēnei te koti tika.	2. 7
6.	He reka ēnā āporo.	2. 2
7.	I kitea ngā tamariki e te kurī.	4. 2
8.	E mōhio ana koe ki ā ia.	4. 4
9.	Kua whāngai a Tama i te ngeru.	4. 1
10.	I hoko ia i te (tetahi) kōhua hōu.	4. 6

Exercise 7a

1.	Kei te pēhea ia?	7.11
2.	I ahau e moe ana ka oma ngā kurī.	7.13
3.	I Whakatāne a Ānaru.	7. 1
4.	Kei ā wai te pene?	7. 5
5.	Kei hea a Hēnare?	7. 3
6.	I te raumati ka haere tātou ki Ōpōtiki.	7.12
7.	Kei te pōuri ia.	7. 9
8.	I patu rātou i ā ia ki te rākau.	7.18
9.	Hei te kanikani a Hoani mā.	7. 1
10.	I a mātou ngā pukapuka.	7. 4
11.	I te kōrero mātou ki ngā kaimahi.	7. 6
12.	I te waiata koe. I whakarongo ahau.	7. 6
13.	Kei te pēhea ngā kai?	7.11
14.	Kei te whare rātou.	7. 1
15.	Kei te aha ērā kurī?	7.10
16.	Kei ērā tamariki ngā tauera.	7. 4
17.	Kei te tuhituhi ahau.	7. 6
18.	Kei te kāinga ngā tāngata, e hanga āna i te whare hōu.	7. 7
19.	Kei ahau te mīti.	7. 4
20.	Ki ā koe ko wai ērā tāngata?	7.17
21.	I kai ia. I te kai ia.	7. 8

Exercise 7b

1.	E tuhituhi reta āna te kōtiro.	6. 2
2.	I waiata ia ki a rātou katoa.	5. 3, 1.12
3.	I whakaoho rātou (rāua) i te pēpi.	4. 8
4.	E mohio ana ahau ki tēnei tamaiti.	4. 4
5.	Kua kite koe i te whare karakia.	4. 1
6.	I kitea ia e ngā tāne (tāngata).	4. 2
7.	Me noho tātou.	3. 6

8. Kua hoki a Monika i Ōpōtiki.   5. 1
9. I kōrero ia ki te wahine mōhio.   4. 6
10. He tino pai ia ki te tuitui.   **5.10**

Exercise 8a

1. te waka o te rangatira
   ngā hoe ā ngā tāngata   8. 1
2. ngā waewae o te kurī   8. 1
3. E kōrero ana tō tāua whaea ki ō tāua hoa.   8. 3
4. ō tātou hū   8. 3
5. ā māua mokopuna   8. 3
6. tōna pōtae   8. 3
7. ngā patu ā Te Wherowhero
   ā Te Wherowhero patu   8. 7
8. I kite tāna tamahine i tō rātou hōiho.   8. 3
9. I kite ahau i te (tetahi) kurī a Tai.   8. 1
10. te motukā o te minita
    tō te minita motukā   8. 7
11. He pukapuka tāna.   8. 6
12. He tamāhine āna.   8. 6
13. He whare ōna.   8. 6
14. He kōtiro tā rāua.   8. 6
15. tērā (taua) hoa o koutou   8. 5
16. ēnei kapu āu   8. 5
17. Ka haere rāua ki te toa o tā rāua tama.   8. 4
18. ngā karu o te kōtiro   8. 1

Exercise 8b

1. I tae (mai) rātou i Maketū, i Whakatāne, i Rotorua.   5.11
2. E horoia āna (Kei te horoia) ngā kākahu e Mere
   rāua ko Sue.   4. 2, 3.13
3. Me kai ngā kōtiro e noho rā.   3. 6, 6. 5
4. Ki a Hine he tino pai tēnei pukapuka.   7.17, 2. 2, 1. 6
5. E aroha ana (Kei te aroha) au ki ā ia.   4. 4
6. Kua haere ia ki te hoko i ngā pepa.   5. 9
7. Ko wai te kuia e whāngai ana i ngā heihei?   6. 4
8. Kei ā koe te wati.   7. 4
9. Kua hoki rātou.   4. 8
10. Kua whakahoki rātou i ngā mea katoa.   4. 8

Exercise 9a

1. Mō rātou tēnei taraka.   9. 8
2. Māu tēnei rākau.   9. 6, 9. 7

3. ngā tuna mā kōrua
   he wai mō mātou   9. 9
4. he koti nōu   9. 1
5. Nōku ēnā hū.   9. 4
6. He kōrero tēnei mō Māui (Mō Māui tēnei kōrero).   9.12
7. Nō hea ērā tāngata katoa?   9.15
8. Nō wai ēnei whenua?   9.15
9. Mā rātou ēnei keke nui.   9. 8
10. Nā Hēnare tēnā tiki.   9. 2
11. he heru nōna   9. 1
12. Nā wai ērā ika?   9.15
13. Nō Ngāti Tūwharetoa tēnei whenua.   9. 2
14. Nā mātou ērā ika.   9. 4
15. he parāoa mā ngā manu   9. 9
16. Ko Te Arawa te iwi nōna tērā motu.   9. 5
17. Ko ēnei ngā reta mā Hera.   9. 9
18. Nā Rangi ngā ngira hei tuitui i ngā hāte.   9. 2, 9.13
19. he whakataukī mō te kōtuku   9.12

Exercise 9b

1. Kua waiata a Mere.   3. 8
2. Ka whakahoki au i te motukā.   4. 8
3. I horoia ngā wini e ngā tamariki.   4. 2
4. Kua kainga ngā keke katoa e ngā kōtiro.   4. 2
5. Kei te kohikohi pipi (E kohikohi pipi ana) rātou.   6. 1
6. Kei Rotorua a Hōne.   7. 1
7. Kei ā Rewi ngā māti.   7. 4
8. I a ia e mahi ana ka tae (mai) a Hine.   7.13, (11.1)
9. Ki a Paki he tino pai ngā pītiti.   7.17
10. I patu ia i te kurī ki te rākau.   7.18

Exercise 10a

1. Ko wai mā ngā tāngata e kōrero puku rā?   10. 2
2. Ka hoki anō au ki tōku kāinga.   10. 2
3. I te āta titiro rātou ki te mea e takoto ana i te huarahi.   10. 4
4. E waiata tika āna ia i ngā kupu.   10. 2
5. I mātua kimi ia i ngā māti.   10. 4
6. Kei te mahi tahi a Hau rāua ko Haora.   10. 2
7. E kohetetia tonutia ana tērā kōtiro.   10. 3
8. Ka whakaaro kē koe.   10. 2
9. Kei te āhua pukuriri a Hōrē.   10. 4

Exercise 10b

1. te motukā o tōku hoa   8. 4
2. He tamariki ā rāua.   8. 6
3. Kei ā Hera te pēre.   7. 4
4. I te mʹoe (e moe ana) rātou.   7. 6, 7. 8
5. E mōhio ana ia ki ērā kōtiro.   4. 4
6. E mahi ana a Rōpata rātou ko Hōne ko Meri ko Manu.   3.13
7. Nāku tēnā naihi.   9. 4
8. Kei te whare rūnanga a Tom e kōrero ana ki te manuhiri.
   (Note 'te' is quite usual, even though there is more
   than one guest.)   7. 1, 7. 7
9. Ka hoki a Kuini ki Hokianga.   5. 2
10. Ko au te tangata i haere ki te tāone.   6. 7

Exercise 11a

1. Ka kī mai a Mutu ki ahau.   11. 1
2. I kōrero atu au ki a Mutu.   11. 1
3. I karanga iho ia ki ngā tāngata e titiro ake ana ki ā ia.   11. 7
4. Kei te whakarongo atu au ki ngā tūī e tangi mai ana.   11. 4
5. Kua hōatu ngā moni ki ngā pani.   11. 5
6. Ko ia te kaiwhakaako i haere atu ki Ingarangi.   11. 1
7. E huihui mai ana ngā tāngata whenua.
   Kei te huihui mai ngā tāngata whenua.   11. 1
8. Ka piki ake (or atu) au ki ngā āporo.   11. 7
9. Kua hōatu katoa āku moni ki tērā tangata.   11. 5
10. Ka haere mai ngā hōia, a ka mauria atu ia.   11. 4, (19.20)

Exercise 11b

1. te kāinga (whare) o te kōtiro   8. 1
2. I mauria mai ngā kau e Koro.   4. 2
3. Kua karanga ia i ngā manuhiri.   4. 1
4. I ā ia e moe ana ka oma te hōiho.   7.13
5. Ka whakakoi au i te pene rākau ki tēnei naihi.   7.18
6. Ka★ tīmata rātou ki te mahi.   5.10
7. Ka★ titiro ia ki ā ia.   5. 3
8. Kua haere rātou ki te (tetahi) tāone nui.   5. 2
9. Kua hoki ia ki Whāngārei.   4. 8, 5. 2
10. Ko ia te kōtiro i waiata ki a mātou.   6. 7
11. Kua whakahoki ia i ngā tūru.   4. 8

★In different contexts, 'ka' can indicate past, present, or future action; its
main use is to introduce 'what happened next'.

Exercise 12a

1. Ka haere rātou ki te wāhi e tū rā te pou.   12. 1
2. Nōku te hōiho e whāngai rā a Hōne.   12. 2
    Nōku te hōiho e whāngaia ana e Hōne.   12. 5
3. He hē tāu e tuhituhi nā.   12. 7
4. I whakaaro ia he tangata pai a Pita.   12. 6
5. Ka haere atu mātou ki te kāinga e noho ra a Pani.   12. 1
6. Kua rongo ahau kei Rotorua tōku tūakana.   12. 6
7. He aha tāu e pai ana (ai)?   12. 7
8. He tino pai ngā mea e hoko na koe.   12. 5
9. He tino nui te rākau e tua nā koe.   12. 3
10. Kei te mōhio au ko tēnā tāku pene.   12. 6

Exercise 12b

1. I hōatu au i tāku pene ki tōku hoa.   11. 5
2. E oma mai ana te kurī.   11. 1
3. Ko Hēnare te tangata nāna tēnā tūpara.   9. 5
4. Nāna tēnei oka.   9. 4
5. He waerehe tāna.   8. 6
6. Kei te tuhituhi reta (E tuhituhi reta ana) ngā kōtiro.   6. 2
7. I te kōrero (e kōrero ana) ahau ki te (tetahi) kuia.   5. 4
8. Kua hoki (mai) rāua i Ākarana.   5. 1, (11.1)
9. I whakahokia mai ngā taputapu e Patuaka.   4. 2, (11.1)
10. Ka oma āna tamariki ki tō rātou whare.   8. 3

Exercise 13a

1. Tokohia ōu hoa?   13. 3, 13. 5
2. Tekau mā rua ngā hipi i tērā taiepa (pātiki).   13. 2
3. He marama wera a Tīhema.   13.11
4. kotahi mano e iwa rau e whitu tekau mā whā   13. 1
5. Hōmai ngā pene rakau, kia rua.   13. 6
6. He aha te utu mō ōu hū?   13.10
7. te tangata tuawhā
    te tuawhā ō ngā tāngata   13. 8
8. Ka noho takitoru ngā tamariki.   13. 7
9. Te tekau mā rima ō (ngā rā o) Āperira.   13.11
10. e rima rau e whā tekau mā waru tāra,
    e rua tekau mā ono hēneti.   13.10
11. ā te Rā Tapu
    i te Wenerei   13.13
12. Kei te whitu (ō ngā) hāora o te ata te taima.   13.12

Exercise 13b

1. Hei kai mā ngā tamariki ēnei pipi.   9.13
2. Ko ēnei ngā hū mō rātou.   9. 9
3. Ka kōrero atu au ki ā ia; ka whakarongo mai ia ki ahau.   11. 1
4. Ko Paki te tangata i karanga (mai) ki a tāua (māua).   6. 7
5. E noho ana ia i te taha o te rori (huarahi).   5. 8
6. Māu ēnei reta.   9. 8
7. Ko ōku hoa ngā tāngata e awhina ana i ngā tamariki.   6. 4
8. He kererū ngā manu e rere rā.   6. 5
9. I te mahi ahau i te ata nei.   5. 6
10. Kei te mōhio rāua ki ahau.   4. 4

Exercise 14a

1. He poke a roto.   14. 2
2. Kei konei tāku kurī.   14. 1
3. I piki rātou ki runga.   14. 1
4. Haere whakamua!   14.12
5. Kei runga ngā kaimahi i te taraka.   14. 4
6. I raro i te tēpu te ngeru.   14. 3
7. He motu rongonui a Mokoia.   14. 2
8. Haere mai ki uta!   14. 1
9. Ka (I) oma te tītī ki roto ki (i) te rua.   14.10
10. He aha te kai i roto i tērā kōhua?   14. 6
11. Titiro whakamuri!   14.12
12. I haere mai rātou mā runga pahi.   14.13
13. He pukapuka kei roto i tēnei kāpata.   14. 7
14. E haere ana ia ki tua o te whare.   14. 1
15. Kei roto ngā moni i ngā kāpata i ngā toroa (hoki).   14. 5

Exercise 14b

1. Me haere anō koe ki tōna whare.   10. 2
2. Ko ēnei ngā taputapu hei tao i ngā hua whenua.   9.13
3. Ko tēnei te kōrero mō Te Rauparaha.   9.12
4. He hū ōna. He potae tōku.   8. 6
5. Titiro ki tēra poti ōna.   8. 5
6. Ka piki ake/Ka piki atu ahau ki tērā peka.   11. 7
7. Me haere a Jim ki te tiki i a rāua.   5. 9
8. Kua hoki mai tōku hoa wahine i Ōpōtiki.   5. 1 , 11.1
9. Ka whakahoki au i tāu toki.   4. 8
10. Kua rima karaka te taima.   13. 2

Exercise 15a

1.	Mā te tangata atawhai ngā manu e whāngai.	15. 1
2.	Māu e hoko ō rātou kākahu hōu.	15. 2
3.	Nāna ngā reta i tuhituhi.	15. 2
4.	Nāku ngā kai i hoko atu.	15. 2
5.	Mā Rōpata a Tai e āwhina.	
	Mā Rōpata e āwhina a Tai.	15. 3
6.	Ko ia te tangata nāna te tamaiti i patu.	15. 5
7.	Ko Mohi te poropiti nāna ngā ture i tuhituhi.	15. 5
8.	Mā rātau ngā whare e hanga.	15. 2
9.	Nā Te Rangi Hīroa, nā Tā Apirana i tuhituhi ngā pukapuka pai mō te Māori.	15. 2
10.	Nā ngā toa ā Hongi tēnei ara i whakawātea.	15. 2
11.	Ko Paki mā ngā tāngata māna ngā poaka e pupuhi.	5. 5
12.	Nā Mere ngā āporo. Nā Mere ngā āporo i kai.	15. 6

Exercise 15b

1.	Ka whakataetae ia ki a Ruia.	5. 3
2.	I te āwhina tōku hoa i te kuia.	5. 4
3.	te tuarua ō ērā whare	13. 9
4.	Hōmai ngā hua manu kia rima.	13. 6
5.	Kua kainga ngā ārani katoa e koe.	4. 2
6.	Ko ia te tangata i hoki mai i te tāone.	6. 7, 11. 1
7.	Ko tēnei te whare e noho ana (nei) a Hine.	12. 1
8.	Ko wai mā ngā tamariki e whāngai ana i te hoiho?	6. 4
9.	I roto te pene i tāku pēke.	14. 3
10.	Kei a Winihana te moni.	7. 4

Exercise 16a

1.	He āhua māngere tāku teina.	16. 2
2.	He tino pai rawa ēnei kūmara.	16. 3
3.	He pai ke atu tōku rūma i tona (rūma).	16. 6
4.	He makariri rawa tēnei roto mō te kauhoe (kaukau).	16. 4
5.	He nui rawa tōku whare.	16. 3
	He tino nui tōku whare.	16. 1
6.	He tino kaha tō rāua matua tāne (pāpā).	16. 1
7.	Ka hoki au ki tōku ake whare.	
	Ka hoki au ki tōku whare ake.	
	Ka hoki au ki tōku whare anō.	16.13
8.	He tāhae anō tōu hoa.	16. 9
9.	I tangi noa iho rātou.	16.12
10.	Ko Rikihana ia (ko) te (tino) kaumātua.	16.10
11.	He rite anō tāku mahi ki tāu mahi. He pēnā tāku mahi. (Other variations could be used.)	16. 8

Exercise 16b

1. Ko ēnei ngā āporo mā ngā tamariki.   9. 6
2. Māna ēnei reta.   9. 8
3. Tīkina atu ērā mea ā rātou.   8. 5, 23.12
4. He wati hōu tāku.   8. 6
5. Kei ā ia tāku pene.   7. 4
6. I te whakatangi piana a Hēnare.   6. 2
7. He mahana a roto.   14. 2
8. Mā tōku tuahine tōku hāte e horoi.   15. 2
9. Āpōpō ka mōhio tātau kei hea a Hine.   12. 9
10. I kitea te kurī e tōku hoa.   4. 2

Exercise 17a

1. E Hine!   17.5
2. Mauria mai!   17. 3
3. Kia kaha!   17. 6
4. Kāti te kōrero!   17.10
5. Me tuhituhi e tōku whaea (māmā) tēnei reta (te reta nei)
Me tuhituhi tēnei reta e tōku whaea.   17.13
6. Me tomo koe ki roto ki tērā ruma.   17.12
7. Haere mai!   17. 2
8. Pupuhi! Pūhia!   17. 1, 17. 3
9. E te iwi!   17. 5
10. E noho!   17. 4
11. kei pōuri ō koutou ngākau   17. 9
12. Me aha ērā tāngata herehere?   17.13
13. Kia atawhai (aroha) te kaiwhakawā ki a mātou!   17. 8
14. Kaua e haere mai!

Exercise 17b

1. John rātou ko Pat ko Mona   3.13
2. He koata pāhi i te toru karaka te taima.   13.12
3. I runga tāu pukapuka i te tēpu iti.   14. 3
4. He roa atu (ake) tēnei rākau i tēnā.   16. 5
5. Kua tuhituhi ahau i te reta ki tōku whaea.   4. 6, 5. 3
6. Ka aroha ia ki ā ia.   4. 4
7. E kai ana tērā tamaiti i te panana.   4. 6
8. E haere mai ana ngā kōtiro katoa.   11. 1
9. Hei kai mā ngā heihei ēnei kānga.   9.13
10. Ko Hera te wahine nāna ngā tamariki i whāngai.   15. 5

Exercise 18a

1. E pai ana ahau kia waiata koe ki ōku hoa.   18. 4
2. I whakaae ia kia hokona mai ngā kai.   18. 4
3. E tumanako ana ahau kia hoki tātou ki Maketū āpōpō.   18. 4
4. Tērā ia e mahi āpōpō.   18. 7
5. Ka tukua ia e rātou kia wehe atu.   18. 4
6. Noho ana āna tamariki i mua i (o) tōna whare.   18. 6
7. Me haere kōrua kia kite i tō kōrua whaea.   18. 5
8. E hiahia ana ahau ki te kai.   18. 3

Exercise 18b

1. te motukā o tōu matua tāne (pāpā)   8. 4
2. I te pō ka haere rāua ki te kanikani.   7.12
3. I ā ia e mahi ana ka moe tōna hoa.   7.13
4. I whakahoki au i tāu naihi.   4. 8
5. I Maketū ōku tuākana.   7. 1
6. He whare nui tōna.   8. 6
7. Karangatia tōu whaea!   17. 3
8. Ka haere anō ahau ki te toa.   10. 2
9. He tino nui te āporo e kai nā koe.   12. 1
10. Nā rātou ēnei kapu.   9. 4

Exercise 19a

1. Arā! Kei te haere mai (e haere mai ana) ō tātou hoa.   19. 2
2. Mōrena e Hine. Kei te pēhea tōu whaea?   19. 1
3. Taihoa! Tikina atu ā tātou taputapu.   19. 2
4. Ko tāna mahi he horoi kākahu (he horoi i ngā kākahu).   19. 3
5. Nā, hōmai ngā moni māna.   19. 6
6. Ahakoa ko tēnei tōku kāinga tipu ka wehe atu au.   19.10
7. He manu he rererangi rānei tērā mea?   19.21
8. Kua tae mai rātou nā reira me kai tātou.   19.13
9. Hōatu ēnei ki ngā wāhine ki ngā kōtiro hoki.   19.19
10. Ka haere au ki te tāone ia rā ia rā.   19.22
11. Ki te noho a Meri ka haere au ki Waikaremoana.
    Ki te mea ka noho a Meri ka haere atu ahau
    ki Waikaremoana.   19.25
12. Ka haere au me āku kurī ki te whakangau poaka.   19.17

Exercise 19b

1. I te Takurua ka haere au ki te Tai Tokerau.   13.13
2. Nāna te tēpu i horoi.   15. 2
3. I waiata anō a Kiri.   10. 2

4. Kua kite ia i te pāua tino nui.   5. 4
5. He tino kaha rāua ki te miraka i ngā kau.   5.10
6. Ka tae (mai) ngā pahi i Tauranga i Taupō i Taumarunui.   5.11
7. Kei te āhua mate tōku hoa.   10. 4
8. Ka oho ia. Ka whakaoho ia i ahau.   4. 8
9. Ko tōku tuahine a Hūhana. Ko Hūhana tōku tuahine.   2. 9
10. E hoa, me kai koe.   19. 1, 3. 6

Exercise 20a

1. Whakarongo atu ki tā rāua kōrero (kōrerotanga).   20. 6
2. Kia tae mai tōu rangatiratanga.   20. 6
3. Ko tōku moenga tēnā. Ko tēnā tōku moenga.   20. 6
4. Ka hari ōna mātua i tōna whānautanga.   20. 9
5. I tana tūranga ka ūmere ngā tāngata katoa.   20. 9
6. Me tuhituhi e tātau tetahi whakaaetanga.   20. 9
7. Ā te tangihanga o ngā manu ka ara tātau.   20. 9
8. (I) Nō te paunga o te rā ka hoki ngā kaimahi ki te kāinga.   20. 9
9. Mauria mai tērā nohoanga.   20. 5

Exercise 20b

1. he kōhatu nui he kōhatu (mea) taumaha   1. 5
2. He tere atu tōku hoiho i tēnā.   16. 5
3. I tō rātou taenga mai ka kai tātou katoa.   20. 9
4. Tukua ōku hoa kia noho.   18. 1
5. I ahau e moe ana ka oma atu taku kurī.   7.13
6. Me whakakoi au i tāku pene rākau ki tēnei naihi.   7.18
7. Kei ā Hine mā ngā kapu hōu.   7. 4
8. Ko tēnei te whare e noho ana/nei a Paki.   2. 7, 12. 1
9. Ko tēnei te whare karakia. He minita a Piripi.   2. 7, 2. 8
10. E mahi ana a Hine rātou ko Mere ko Hera.   3.13

Exercise 21a

1. Mō wai tērā whare hōu?   21. 5
2. Tokohia ā rāua tamariki?   21. 6
3. Ko tēhea o ērā kōtiro te tuahine o Hēnare?   21. 8
4. He aha rātou i tangi ai?   21. 9
5. He kahurangi (rānei) tōna kākahu?   21. 7
6. Nā wai ēnei aho hī ika?   21. 5
7. Ko wai mā ērā kōtiro?   21. 2
8. I ahatia tēnei taiepa?   21. 4
9. Kua tae mai tōu tungāne i hea?   21. 4
10. Kei hea tāku pepa?   21. 1

11. He aha te taima ināianei? 21. 3
12. He makariri (rānei) te wai? 21. 7
13. E kōrero ana a Mere ki ā wai? 21. 4
14. Nā wai ēnei rīwai i hoko mai? 21. 4
15. E mohio ana koe ki ā ia? 21. 4
16. He aha te kurī i oma atu ai? 21. 9
17. E hia ngā rūma o tōu whare? 21. 6
18. E titiro ana koe ki ā wai? 21. 4
19. Ko wai mā ērā kuia? 21. 2
20. E hia ngā tīkaokao kei roto i tāu whare heihei? 21. 6
21. He aha rātou i riri ai? 21. 9
22. Kei hea a Rōpata rāua ko Hōne? 21. 1
23. Ko tēhea tāu kapu? 21. 8
24. Nōnahea tōu hoa i hoki atu ai? 21. 3
25. I ahatia tēnei paihikara? 21. 4
26. He reka he kawa rānei ēnei ārani? 21. 7
27. Nā wai tēnei kāmera? 21. 5
28. He aha te ingoa Māori o ērā manu? 21. 1
29. I ā wai tā tāua paoro? 21. 5
30. Nā wai ngā kāpeti i whakato? 21. 4
31. Tokohia ōu tuākana? 21. 6
32. Mō wai tēnei hingareti? 21. 4
33. E kai ana te kurī i te aha? 21. 4
34. I waiata a Kiri ki ā wai? 21. 4

Exercise 21b

1. Kia manawanui.
   Me tatari koe kia tae mai tōu whaea. 17. 6, 17.12, 13.15
2. Nō Paki ēnei hū pango. 9. 2
3. He tokomaha ngā wāhine kei te whare kai. 7. 2
4. Nā Paki ēnei hū i hoko. 15. 1
5. Ko tēnei te whare e noho nei ahau. 12. 1
6. Ko tēnei te pene hei tuhituhi i te reta ki tāu whaiāipo. 9.13
7. Ka tae mai ā tātou manuhiri ka karanga atu a Horiana. 20.10
8. I te wehenga atu o te pahi... 20. 5, 20. 9
9. He tino pai rawa atu tēnei keke āna. 16. 3, 8. 5
10. E aha ana a Hēnare rāua ko Mere?
    E whakareri ana rāua ki te haere ki te karakia. 21. 4, 5. 9, 5. 2

Exercise 22a

1. Kua oti ngā reta i a Hōrī te tuhituhi. 22. 5
2. Ka whakaora ahau i a ia.
   Ka whakaorangia ia e au.
   Māku ia e whakaora. 22. 7, 15.1

3. Kua pakaru te wini o te whare kura. 22. 1
4. Ka riro ngā hōiho i a Manaia rātou ko āna tama. 22. 2
5. Ka mutu te koroheke te whaikōrero. 22. 5
6. Kua maringi te miraka i te puihi. 22. 2
7. Ka whati te peka o tērā rākau. 22. 1
8. Kua mau a Hine i ā ia. 22. 2
9. Kua mau ia i a Hine. 22. 2
10. Kua oti i te kaimahi paamu ngā hipi te hoko atu. 22. 5
11. Kua oti i te kaimahi paamu ngā hipi te kutikuti. 22. 5
12. Kua maroke ōku tōkena i te rā. 22. 2

Exercise 22b

1. E hiahia ana au ki te waiata. E hiahia ana ahau kia waiata koe. 18. 3
2. Anei! Ko ēnei āu mea. 19. 2
3. Me haere tāua ki te kōrero ki tōna tuahine, arā, ki a Mere. 19.7
4. Kaua e noho, āwhinatia ahau. 17.11, 17. 3
5. Ko te kai te mahi tino pai rawa atu. 20. 2
6. He tiki tino tawhito tāku. 8. 6
   He tino tawhito tāku tiki. 8. 3
   He tino tawhito tēnei tiki āku. 8. 5
7. Me mahi tonu tāua. 10. 2
8. Ko ia te wahine nāna ngā kai i hoko (mai). 15. 5
9. Mauria (mai) te toki nui te toki (mea) koi. 17. 3, 1. 5
10. Nōku tēnei tauera engari nō kōrua ngā kākahu kaukau. 9. 4, 19.26

Exercise 23a

1. Tae rawa atu ia ki te tāone ka tomo tika ia ki roto
   ki te Poutāpeta. 23. 1
2. Kua rangona tāu īnoi. 23.10
3. He kaiārahi tūruhi tōku tuahine. 23. 9
4. Kei te patupatu rātou i tōku hoa. 23. 5
5. Haere noa iho ia e kōrero ana ki ōna hoa. 23. 1
6. Kātahi ngā wāhine ka whakatikatika i ngā moenga. 23.15
7. Titiro ki ērā kōtiro e waiata haere ana. 23. 6
8. I hōmai ki au ēnei pukapuka e tōku pāpā. 23.10
9. Whero katoa tōna kanohi i te wera o te kāpura. 23. 2
10. Kātahi a Tūtānekai ka hoki ki tōna kāinga. 23.15
11. Kua mau ngā tamariki kikino i ō raua whaea. 23.13
12. Tikina atu tōna taraka. 23.12

Exercise 23b

1. Hōmai he matau kia rua.   13. 6
2. Me āta whakarongo tāua ki ā ia.   10. 4
3. Ko tēnei tāku ake kani.   16.13
4. I mua i tō rāua wehenga ka kai a Hōne rāua ko Peti i te pāreti.   13.14, 20. 6
5. Ka whakamahi ia i a rātou katoa.   4. 8
6. Ka (I) whakaae ia kia hokona te waerehe e koe.   18. 4
7. He tino wera a waho.   14. 2
8. I roto ngā tīkiti i tāku pēke.   14. 3
9. Ka aroha (E aroha ana) rātou katoa ki a ia.
Ka arohaina ia e rātou katoa.   4. 4
10. I mohio au ki tāna tungāne.   4. 4

Exercise 24a

1. Me hoki koe ki te whare o Paki, moe ai.   24. 4
2. I ngā Rā Tapu haere ai tōku whaea ki te karakia.   24. 3
3. Ko Ngongotaha te maunga i noho ai ngā Patupaiarehe.   24. 1
4. Ko tēnei te rā e wehe atu ai ahau ki Whāngārei.   24. 2
5. Whakarongo ki ahau ka whakahoki ai i āku pātai.   24. 5
6. Ka hōatu au ki a koe tāu e hiahia ai.   24. 6
7. Me mahi tonu tāua kia rite ai ēnei mea katoa.   24. 7
8. Ko ia te tangata i kite ai a Rōpata.   24. 6
9. Nō Rangi te whare e noho ai ngā kōtiro.   24. 1
10. Nōnahea koe i tae mai ai? Āhea koe (e) hoki ai ki Ākarana?   24. 2
11. Haere ai ia ki te tāone ia rā ia rā.   24. 3
12. Ko Ōwhata te kāinga i noho ai a Hinemoa.   24. 1

Exercise 24b

1. I te whare kai ahau inanahi.   7. 1
2. Ka āta whakarongo rāua ki te rangatira.   10. 4
3. He whāngai i ngā heihei tāna mahi.   19. 3
4. Kei a Kevin tāu pukapuka.   7. 4
5. Nā wai te waerehe i runga i tēnā tēpu?   9.15, 14. 6
6. Ka mōhio ahau ki te wahine e noho mai rā.   4. 4, 11. 4
7. Ka kī mai ia ki ahau, 'Kei te tino ora ōku mātua.'   7. 9
8. I a mātou e mahi ana i te noho tonu koe.   7.13, 7. 6, 10. 2
9. Hōmai te ngira hei tuitui i tāku hāte.   9.13
10. Whakakīa tēnei pēke ki te rīwai.   17. 3, 7.18

Exercise 25a

1.   Kaua e haere ki te whare o Rua.   25. 2
2.   Kāhore rātou e mahi ana.   25. 1
3.   Ehara ia i tōku hoa.   25. 3
4.   Kāhore a Tūtānekai i kauhoe ki Ōwhata.   25. 1
5.   Kāhore āku moni.   25. 5
6.   Kāhore ia e kai ana i āu āporo.   25. 1
7.   Ehara tērā rākau i te kaha.   25. 4
8.   Ehara tēnei i tāku toki.   25. 3
9.   Kaua e tangi.   25. 2
     Kāti te tangi.   25. 2
10. Kāhore anō ahau kia kai.   25. 1
11. Ehara tāna kurī i te kurī whakangau poaka.   25. 4

Exercise 25b

1.   Ki te mea ka haere koe ki te tāone ka mahi tonu au.   19.25
2.   Nō Harry tērā motukā engari kāhore ōku motukā. 9. 2, 19.25, 25. 6
3.   He hōu rānei tāu wati?   21. 7
4.   I ahatia tōu waewae. Me haere koe ki te hohipera.   21. 4, 3. 6
5.   E hiahia ana ahau kia haere koe ki te tāone
     ki te hoko mai i ngā tīkiti mā tāua.   18. 2, 5. 9, 9. 9
6.   Nāna ngā pūhā i kohikohi. Māku e tao.   15. 2, 15. 3
7.   Ehara ia i te tangata nāna ngā kāpeti i hoko.   25. 3, 15. 5
8.   Ko te Rā Tapu te rā e haere ai tātau ki Tauranga.   24. 2
9.   Kua whāngaia e Hine ngā heihei ā te kuia.   4. 2
10. Ki ahau ko te reo Māori te tino reo o te iwi Māori.   7.17

GLOSSARY

For 'this', 'that', 'these', 'those', etc., see 1.8-1.11.

For 'I', 'you', 'we', 'they', etc., see 3.12.

For 'my', 'your', 'their', etc., see 8.2.

a/an = he, *or* tētahi (after a preposition)
about (concerning) = mō
above = runga
according (to) = ki
active (energetic, strong) = kaha
aeroplane = manurere
again = anō
against (fight/compete against) = ki
(to) agree = whakaae/whakaaetia
(an) agreement = whakaaetanga
all = katoa
allow = tuku/tukua
a.m. = o te ata
and (also) = hoki
angry = riri
(to) answer = whakahoki (kupu)/whakahokia
applaud = ūmere (cheer), pakipaki (clap)
apple = āporo
approve = (e) pai (ana)
arise = ara/arahia, whakatika/whakatikaia
arrive = tae/taea
at/to (attention, speech, etc) = ki
at (located) = i, kei, hei
axe = toki

baby = pēpi, pōtiki
back (of), behind = muri (local noun)

backward (to the rear) = whakamuri
badness = te kino
ball = paoro
banana = panana
beautiful = ātaahua
bed = moenga
before (in front of) = i mua i
belonging to = nā/nō
(the) best (thing) = (te mea) pai atu
better = pai atu
(had) better = me
bicycle = paihikara
(a) bit, somewhat = āhua (before the verb
big (plentiful, important) = nui/nunui
bird = manu
(the) birth = whānautanga
bit (piece, portion) = wāhi
bite = ngau/ngaua
bitter = kawa
black = mangu, pango
blue = kahurangi, purū
boat = poti, waka
book = pukapuka
branch = peka
bread = parāoa, taro
bring = mau/mauria
brother = tungāne (of a girl)
tuakana or teina (of a boy)
bucket = pakete, pēre
build = hanga/hangā
bus = pahi
buy = hoko mai/hokona mai
by = e (after passive form of verb)
i (after neuter verb)

cabbage = kāpeti

cake = keke
call = karanga/karangatia (people)
  (birds 'tangi')
camera = kāmera
Canada = Kānata
canoe = waka·
car = motukā
carefully = āta (comes before verb)
cat = puihi, ngeru
cent = hēneti
chair = tūru
chief = rangatira
child = tamaiti
children = tamariki
church = whare karakia
cigarette = hikareti
(to) clear = whakawatea
clever = mōhio
climb = piki/pikitia
clock = karaka
clothes = kākahu
coat = kākahu, koti
cockerel = tīkaokao
cold = makariri
colour = kara
comb = heru, koma
come = haere mai
compete (against) = whakataetae (ki)
completed = oti (neuter verb)
concerning = mō
continually = tonu
conversation = kōrero/kōrerorero
(a) conversation = kōrerotanga
(to) cook = tao/taona, tao kai, mahi
  kai
cooking pot = kōhua
corn = kānga
correct, correctly = tika
(to) correct = whakatika/
  whakatikatika
cost = (price, wage) = utu
cow = kau
cry = tangi/tangihia
cup = kapu
cupboard = kāpata

dance = kanikani
(war) dance = haka
daughter = tamāhine
day = rā
depart = wehe/wehea
(the) departure = wehenga
despite = ahakoa
different(ly) = kē
dining room = whare kai
dirty = paru
do (to work) = mahi/mahia
dog = kurī
dollar = tāra
down = iho, whakararo
drawer = toroa
dress = kākahu
driver = taraiwa

eat = kai/kainga
eel = tuna
egg = hua manu, hēki
eight = waru
(an) elder = kaumātua
escape (run off) = oma atu
evil = te kino
excellent = (tino) pai rawa atu
expert = tohunga
eye = karu, kanohi

face = kanohi
factory = wheketere
famous = rongonui
farm = pāmu
farmer = kaimahipāmu
fast = tere
father = matua tāne
feed = whāngai/whāngaia
fell (trees) = tua
fence = taiepa
fetch = tiki/tīkina
fight = whawhai/whawhaitia
fill = whakakī/whakakiia
find = kite/kitea
fire = ahi (ablaze = kāpura)
first, firstly = mātua (before verb)
fish = ika

fish hook = matau
fishing line = aho
five = rima
flowers = puāwai, putiputi
(to) fly = rere/whakarerea
food = kai
foot (leg) = waewae
for = mā/mō
for (some use) = hei
form (appearance, 'look of') = āhua
forward = whakamua
four = whā
friend = hoa
from = i
front (of) = mua (local noun)

gang = rōpū, ope
garment = kākahu
(to) gather = kohikohi/kohia
(a) gathering = huihuinga
girl = kōtiro
give = hōmai/hōatu (no passive
   form
go = haere atu, wehe atu
good = pai/paipai
grandchild = mokopuna
grandparents = tīpuna
guest = manuhiri
(a) guide = kaiārahi
(to) guide (lead) = ārahi/ārahaina

had better (verb) = me (verb)
(dining) hall = whare kai
hat = pōtae
(to) have = Kei/I ā ia te pene. He
   pene tāna. (see 7.4, 8.6)
hear = rongo/rangona
heart = manawa
(stout)heart(ed) = manawa(nui)
heat = wera
heavy = taumaha
help = āwhina/āwhinatia
hen = heihei
here = konei
(white) heron = kōtuku
hit = patu/patua

hit (repeatedly) = patupatu
hole (pit, den) = rua
home = kainga, whare
hope = tūmanako
horse = hōiho
hospital = hohipera
hot = wera
hour = hāora
house (building) = whare
how? = he (kei te) pēhea?
how many? = e hia (tokohia)?
hundred = rau
hungry = hiakai

ill = mate
incorrect (wrong) = hē
indeed = rawa atu
in, inside = roto
into = ki roto (i)
island = motu/moutere
it = (implied by context)

job = mahi
joyful = koa
(a) judge = kaiwhakawā
just (only) = anake, noa iho

kill = whakamate/whakamatea,
   patu/patua
kind (helpful) = atawhai
kingdom = rangatiratanga
knife = naihi
knife (butcher's) = oka
know = mōhio/mōhiotia

lady (woman) = wahine
(old) lady = kuia
lake = roto
lament = tangi/tangihia
(the) land = whenua
law = ture
lawyer = rōia
lazy = māngere
lemon = rēmana
lest (in case) = kei
let (allow) = tuku/tukua

letter = reta, pukapuka
lie down = takoto/takotoria
like this = pēnei
like that (by you) = pēnā
like that (over there) = pērā
line = rārangi
listen = whakarongo/whakarongohia
little = iti
live = ora/orangia
live (at) = noho/nohoia
local people = tāngata whenua
long = roa/roroa
longer = roa atu
look = titiro/tirohia
look (at) = titiro (ki)
lost = ngaro
love = aroha/arohaina

man = tangata, tāne
matches = māti
May (month of) = Mei
meat = mīti
(a) meeting = huihuinga
meeting house = whare runanga
milk = miraka
(to) milk = miraka/mirakatia
minister (vicar) = Minita
money = moni
month = marama
morning = ata
mother = whaea, māmā
mountain = maunga
mouth = waha, māngai
must (should) = 'me' (before the
    verb)
mutton = mātene, mīti-hipi

name = ingoa
needle = ngira
new = hōu
nice = pai
night = pō
nine = iwa
nurse = nāhi

o'clock = karaka

of = a/o
old (thing) = tawhito
old lady = kuia
old man = koroheke
on = i runga i
one = tahi, kotahi
only = anake
orange = ārani
orphan = pani
other = ake
over (above) = runga
(it is) over there! = arā!
own = ake
owns = (see 9.5)

(a) paddle = hoe
(to) paddle = hoe/hoea
paddock = pātiki
paper = pepa, nūpepa
parents = mātua
past (time on clock) = pāhi
patient = manawanui
peach = pītiti
pen = pene
pencil = pene rākau
(the) people = ngā tāngata, te hunga
permit (allow) = tuku/tukua
person = tangata
piano = piana
piano player = he tangata
    whakatangi piana
pianist = kaiwhakatangi piana
piece = wāhi
pig = poaka
pig dog = kurī whakangau poaka
pigeon = kererū
place = wāhi
plane (aircraft) = manurere
plant = whakatō/whakatōkia
play (games) = takaro
play (instrument) = whakatangi
p.m. = o te ahiahi (po)
porridge = pāreti
post = pou
Post Office = Poutāpeta
pot = kōhua

potatoes = rīwai
prayer = īnoi
prisoner = (tangata) herehere
probably = pea
prophet = poropiti
proverb = whakataukī, pepeha
purse = pēke

quarter (time on clock) = koata
(a) question = he pātai
(to) question = pātai/pātaia

radio = rērio, waerehe, reo irirangi
reach (arrive at) = tae/taea
ready = reri, rite
rear = muri (local noun)
red = whero
remember (takes 'ki' as trans. prep.)
    = mahara/maharatia
return (to give back) = whakahoki/
    whakahokia
return (to go back) = hoki
right (correct) = tika
river = awa
road = huarahi, rori
(a) rock = kōhatu, toka
room = ruma
run = oma/omakia

sad = pouri
(a) saw = kani
say = kī, mea
scold = kohete/kohetetia
seat = nohoanga
secretly = puku
see (find) = kite/kitea
seek (look for) = kimi/kimihia
sell = hoko atu/hokona atu
(to) serve as = hei
service (church) = karakia
(sun)set = tō
settlement (village, home) = kāinga
seven = whitu
seventy = e whitu tekau
sew = tuitui/tuituia
sharpen = whakakoi/whakakoia

shear (sheep) = kutikuti hipi
sheep = hipi
shepherd = hēpara
shirt = hāte
shoe = hū
(to) shoot = pupuhi/pūhia
shop = toa, (whare)hoko
shore = tatahi (local noun), uta
    (from the sea)
shotgun = tūpara
should = kia (see Lesson 18)
side = taha
sing = waiata/waiatatia (birds 'tangi')
singlet = hingareti
sister = tuahine (of a boy)
        tuakana, teina (of a girl)
    (see 19.27)
sit = noho/nohoia
six = ono
(the) size = te nui
sky-blue = kahurangi
sleep = moe/moea
small = iti, paku, nohinohi
soldier = hōia
some = he, etahi (after a
    preposition)
somewhat = āhua (before verb)
son = tama
(a) song = waiata
sour = kawa
speak (talk) = kōrero/kōrerotia
stand = tū
start = tīmata/tīmataria
stay (sit, live somewhere) =
    noho/nohoia
(a) stick (tree, wood) = rākau
still = tonu
stone = kōhatu
stop! = kāti!
(a) story = he kōrero, purākau
straight = tika
straighten = whakatika/whakatikatia
strike = patu/patua
strong = kaha
suchlike (and so on) = he aha, he
    aha

summer = raumati
(a) sweet (lolly) = rare
sweet = reka
sweetheart = whaiapo
swim = kauhoe (kaukau = to bathe)
sympathy = aroha, atawhai

table = tēpu
take = mau/mauria, hari/haria
talk = kōrero/kōrerotia
teacher = kaiwhakaako, kura māhita
ten = tekau
that (by you) = tēnā (plural: ēnā)
that (over there) = tērā (plural: ērā)
that (mentioned before) = taua
    (plural: aua)
the = te, ngā
then (for the first time) = kātahi (ia)
    ka...
therefore = na/no reira
thief = tāhae/whānako
thing = mea
think = whakaaro/whakaarotia
those (by you) = ēnā (singular: tēnā)
those (over there) = ērā (singular:
    tērā)
those (mentioned before) = aua
    (singular: taua)
thousand = mano
three = toru
(in) threes = takitoru
ticket = tīkiti
tidy = whakatikatika/whakatikatia
time = taima
together = tahi
tomorrow = āpōpō
tools = taputapu
(the) top = runga (local noun)
towards = ki
towel = tauera
town = tāone
track, path = ara
translate into English =
    whakapākehā/whakapākehātia
tree = rākau
tribe = iwi

truck = taraka
true (correct) = pono, tika
twelve = tekau mā rua
twenty = e rua tekau
two = rua/e rua

under = raro (local noun)
upon (when) = i
(for) use (as) = hei
usually = (see 24.3)
utensils = taputapu

vegetables = hua whenua
very = tino
village (home place) = kāinga

wait (wait for) = tatari/tāria (takes
    'ki' as trans. prep.)
wake (up) = oho
wake (someone up) =
    whakaoho/whakaohotia
walk = haere
want = hiahia/hiahiatia
warm = mahana
warrior = toa
wash = horoi/horoia
(a) watch = wati
(to) watch =
    mātakitaki/mātakitakitia
water = wai (wai māori = fresh
    water)
weapons = patu, rākau
well (healthy) = ora
went = (i) haere
when (as, while) = i
which? = ko tēhea?/ko ēhea?
while/as (they) = i a (rātou)
white = mā
who (did) = nāna...i
who (is)...? = ko wai...?
(belonging to) whom? whose (is)? =
    nā wai?/nō wai?
(by) whom? = nā wai...i/mā
    wai...e?
wide = whānui
(to be) willing = pai

window = wini, matapihi
winter = takurua
wise = mōhio
wish = hia/hiahiatia,
    pīrangi/pīrangitia
with which to (for) = hei
woman = wahine
wood = rākau
wool = wūru
word = kupu
work (job) = mahi

(to) work = mahi/mahia
workman = kaimahi
write = tuhituhi/(tuhi)tuhia

yellow = kōwhai
yesterday = inanahi
younger (brother of a man) = teina,
    taina
younger (sister of a girl) = teina,
    taina

Also by John Foster

HE TUHUTUHI MĀORI
A Study of Maori Texts by Well-known Writers

He Tuhutuhi Māori is John Foster's second book on Maori language study, and complements *He Whakamārama*. It leads the student step-by-step through five well-known Māori texts, translating and explaining in detail the forms of language used. This systematic approach to learning Māori is suitable for the beginner as well as for those who already have a grounding in the language. For the student reading through the various passages a pattern will soon emerge, and the nature of the language, its constructions and the way it has been used by some of its great exponents will quickly become apparent. It has been sensibly structured to reinforce the essential characteristics of the language, thereby giving the student confidence in both writing and reading Māori.

NGĀ PATAI ME NGĀ WHAKAHOKI (cassette)
Questions and Answers

This cassette will give the listener systematic practice in both forming and recognising all the basic Māori forms of enquiry and reply. Clearly spoken questions are asked by Haromi Williams about a number of photographs included with the cassette (and also reproduced in *He Whakamārama*), and model replies are then given. English-to-Māori and Māori-to-English are used alternatively from picture to picture. With the help of a Māori-speaking friend, the method demonstrated on the tape can be extended to other pictures or actual situations.